Guy de Ma

Cinq
nouvelles
réalistes

Classiques &

Appareil pédagogique par

Laurence Sudret
professeur de Lettres

Lexique par

Michèle Sendre

MAGNARD

Présentation :
l'auteur, l'œuvre et son contexte

Cinq nouvelles réalistes
de Guy de Maupassant

Étude de l'œuvre :
séances

ÉTUDE DE LA LANGUE, LECTURE, EXPRESSION, PATRIMOINE
Notions littéraires : Le réalisme
Méthode : Comment repérer les caractéristiques d'un texte réaliste

ÉTUDE DE LA LANGUE, LECTURE, EXPRESSION, PATRIMOINE
Histoire des arts : Les paysans en peinture, au XIXe siècle
Méthode : Comment analyser une peinture (1re partie)

Sommaire

Guy de Maupassant
(1850-1893)

Maupassant naît en Normandie, région qui sera ensuite le décor d'un grand nombre de ses textes. Il connaît une enfance assez heureuse ; sa mère compte d'ailleurs parmi ses amis un certain Gustave Flaubert, qui deviendra très vite son père spirituel.

À partir de 1871, il devient fonctionnaire. Son travail lui laisse le temps de découvrir les environs de Paris et surtout

Portrait de Maupassant, photographié par Nadar en 1888.

d'écrire. Il commence par publier des poèmes, mais très vite Flaubert et É. Zola l'invitent à écrire des narrations. Il publie *Boule-de-Suif* tout d'abord, qui connaît un franc succès ; puis il écrit de très nombreux contes et nouvelles (*La Maison Tellier* [1881], *Les Contes de la bécasse* [1883]…) et 6 romans dont *Bel-Ami* (1885), *Une vie* (1883) et *Pierre et Jean* (1888).

Il se lance, en outre, dans le journalisme, mais, à partir de 1884, la syphilis dont il est atteint depuis ses jeunes années commence à affecter son état physique et mental… Il développe une certaine paranoïa et tente de se suicider ; il meurt d'ailleurs en 1893, interné.

Ceci explique l'évolution de ses écrits : d'abord réalistes, s'approchant même du naturalisme, ils prennent une teinte fantastique à partir de là. Dans *Le Horla* (1887), le narrateur est obsédé par la présence d'un double qu'il sent à côté de lui et qui veut sa mort.

Pâturages près de Cherbourg, Normandie de Millet (1871-1872).

Présentation : l'auteur, l'œuvre et son contexte

Le recueil

Les nouvelles présentées ici sont issues de recueils très différents. « La Rempailleuse » et « Aux champs » ont été publiées dans *Les Contes de la bécasse* (1883), « Mon oncle Jules » dans *Miss Harriet* (1884), « Le Parapluie » dans *Les Sœurs Rondoli* (1884) et « La Parure » dans *Contes du jour et de la nuit* (1885). Elles ont toutes auparavant été publiées dans le magazine *Le Gaulois*.

Le style de ces nouvelles est très réaliste et Maupassant s'applique à montrer les travers et les médiocrités de la société

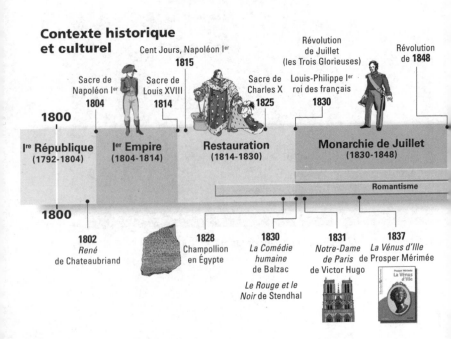

Contexte historique et culturel

Cent Jours, Napoléon Iᵉʳ — **1815**

Révolution de Juillet (les Trois Glorieuses)

Révolution de **1848**

Sacre de Napoléon Iᵉʳ — **1804**

Sacre de Louis XVIII — **1814**

Sacre de Charles X — **1825**

Louis-Philippe Iᵉʳ roi des français — **1830**

1800

Iʳᵉ République (1792-1804)

Iᵉʳ Empire (1804-1814)

Restauration (1814-1830)

Monarchie de Juillet (1830-1848)

Romantisme

1800

1802
René de Chateaubriand

1828
Champollion en Égypte

1830
La Comédie humaine de Balzac

Le Rouge et le Noir de Stendhal

1831
Notre-Dame de Paris de Victor Hugo

1837
La Vénus d'Ille de Prosper Mérimée

bourgeoise qu'il méprise. Il la présente le plus froidement et méthodiquement possible, donnant une couleur très pessimiste et sombre à ses textes.

En outre, il montre à quel point l'argent dirige l'existence de ses personnages, qu'ils soient bourgeois ou paysans. Certes, il ne fait pas l'apologie de la richesse ouvertement, mais il est clair que, pour lui, l'adage qui répète que « l'argent ne fait pas le bonheur » n'a de sens que s'il est complété de « mais il y contribue », et, ici, nous pourrions même ajouter « *fortement* ! ».

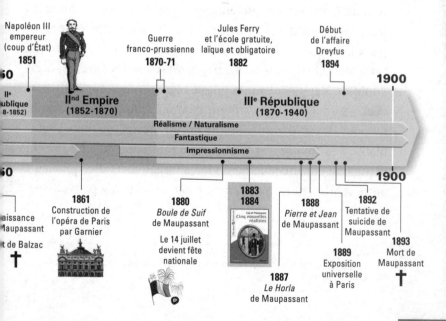

La Rempailleuse[1]

À Léon Hennique

C'était à la fin du dîner d'ouverture de chasse chez le marquis de Bertrans. Onze chasseurs, huit jeunes femmes et le médecin du pays étaient assis autour de la grande table illuminée, couverte de fruits et de fleurs.

5 On vint à parler d'amour, et une grande discussion s'éleva, l'éternelle discussion, pour savoir si on pouvait aimer vraiment une fois ou plusieurs fois. On cita des exemples de gens n'ayant jamais eu qu'un amour sérieux ; on cita aussi d'autres exemples de gens ayant aimé souvent, avec violence. Les 10 hommes, en général, prétendaient que la passion, comme les maladies, peut frapper plusieurs fois le même être, et le frapper à le tuer si quelque obstacle se dresse devant lui. Bien que cette manière de voir ne fût pas contestable, les femmes, dont l'opinion s'appuyait sur la poésie bien plus que sur l'observa-15 tion, affirmaient que l'amour, l'amour vrai, le grand amour, ne pouvait tomber qu'une fois sur un mortel, qu'il était semblable à la foudre, cet amour, et qu'un cœur touché par lui demeurait ensuite tellement vidé, ravagé[2], incendié, qu'aucun autre sentiment puissant, même aucun rêve, n'y pouvait ger-20 mer de nouveau.

Vocabulaire
1. *Rempailleuse* : personne qui regarnit les assises de chaise avec de la paille.
2. *Ravagé* : détruit.

Le marquis ayant aimé beaucoup, combattait vivement cette croyance :

– Je vous dis, moi, qu'on peut aimer plusieurs fois avec toutes ses forces et toute son âme. Vous me citez des gens qui
25 se sont tués par amour, comme preuve de l'impossibilité d'une seconde passion. Je vous répondrai que, s'ils n'avaient pas commis cette bêtise de se suicider, ce qui leur enlevait toute chance de rechute, ils se seraient guéris ; et ils auraient recommencé, et toujours, jusqu'à leur mort naturelle. Il en est des
30 amoureux comme des ivrognes. Qui a bu boira – qui a aimé aimera. C'est une affaire de tempérament[1], cela.

On prit pour arbitre le docteur, vieux médecin parisien retiré aux champs, et on le pria de donner son avis.

Justement il n'en avait pas :
35 – Comme l'a dit le marquis, c'est une affaire de tempérament ; quant à moi, j'ai eu connaissance d'une passion qui dura cinquante-cinq ans, sans un jour de répit, et qui ne se termina que par la mort.

La marquise battit des mains.
40 – Est-ce beau cela ! Et quel rêve d'être aimé ainsi ! Quel bonheur de vivre cinquante-cinq ans tout enveloppé de cette affection acharnée et pénétrante[2] ! Comme il a dû être heureux, et bénir la vie, celui qu'on adora de la sorte !

Le médecin sourit :
45 – En effet, madame, vous ne vous trompez pas sur ce point,

---

Vocabulaire
1. *Tempérament* : caractère.   **2.** *Pénétrante* : intense.

que l'être aimé fut un homme. Vous le connaissez, c'est M. Chouquet, le pharmacien du bourg. Quant à elle, la femme, vous l'avez connue aussi, c'est la vieille rempailleuse de chaises qui venait tous les ans au château. Mais je vais me
50 faire mieux comprendre.

L'enthousiasme des femmes était tombé ; et leur visage dégoûté disait : « Pouah ! » comme si l'amour n'eût dû frapper que des êtres fins et distingués, seuls dignes de l'intérêt des gens comme il faut.

55 Le médecin reprit :

– J'ai été appelé, il y a trois mois, auprès de cette vieille femme, à son lit de mort. Elle était arrivée la veille, dans la voiture qui lui servait de maison, traînée par la rosse[1] que vous avez vue, et accompagnée de ses deux grands chiens noirs, ses
60 amis et ses gardiens. Le curé était déjà là. Elle nous fit ses exécuteurs testamentaires[2], et, pour nous dévoiler le sens de ses volontés dernières, elle nous raconta toute sa vie. Je ne sais rien de plus singulier[3] et de plus poignant[4].

Son père était rempailleur et sa mère rempailleuse. Elle n'a
65 jamais eu de logis planté en terre.

Toute petite, elle errait, haillonneuse[5], vermineuse[6], sordide. On s'arrêtait à l'entrée des villages, le long des fossés ; on dételait la voiture ; le cheval broutait ; le chien dormait, le museau sur ses pattes ; et la petite se roulait dans l'herbe pen-

---

Vocabulaire
1. *Rosse* : cheval en mauvaise santé.
2. *Exécuteurs testamentaires* : personnes chargées de faire respecter un testament.
3. *Singulier* : unique.
4. *Poignant* : émouvant.
5. *Haillonneuse* : aux vêtements déchirés.
6. *Vermineuse* : ici, couverte de poux.

70 dant que le père et la mère rafistolaient, à l'ombre des ormes du chemin, tous les vieux sièges de la commune. On ne parlait guère, dans cette demeure ambulante. Après les quelques mots nécessaires pour décider qui ferait le tour des maisons en poussant le cri bien connu : « Remmmpailleur de chaises ! »
75 on se mettait à tortiller la paille, face à face ou côte à côte. Quand l'enfant allait trop loin ou tentait d'entrer en relations avec quelque galopin du village, la voix colère du père la rappelait : « Veux-tu bien revenir ici, crapule ! » C'étaient les seuls mots de tendresse qu'elle entendait.

80 Quand elle devint plus grande, on l'envoya faire la récolte des fonds de siège avariés[1]. Alors elle ébaucha[2] quelques connaissances de place en place avec les gamins ; mais c'étaient alors les parents de ses nouveaux amis qui rappelaient brutalement leurs enfants : « Veux-tu bien venir ici,
85 polisson ! Que je te voie causer avec les va-nu-pieds[3] !… »

Souvent les petits gars lui jetaient des pierres.

Des dames lui ayant donné quelques sous, elle les garda soigneusement.

Un jour – elle avait alors onze ans – comme elle passait par
90 ce pays, elle rencontra derrière le cimetière le petit Chouquet qui pleurait parce qu'un camarade lui avait volé deux liards[4]. Ces larmes d'un petit bourgeois, d'un de ces petits qu'elle s'imaginait dans sa frêle[5] caboche[6] de déshéritée, être toujours

---

Vocabulaire

1. *Avariés* : abîmés.
2. *Ébaucha* : commença à se faire.
3. *Va-nu-pieds* : les pauvres (ceux qui n'ont pas d'argent pour acheter des chaussures).

4. *Liards* : monnaie de cuivre, qui valait le quart d'un sou (soit 1,25 centime de franc).
5. *Frêle* : fragile.
6. *Caboche* : tête.

contents et joyeux, la bouleversèrent. Elle s'approcha, et,
95 quand elle connut la raison de sa peine, elle versa entre ses
mains toutes ses économies, sept sous, qu'il prit naturellement, en essuyant ses larmes. Alors, folle de joie, elle eut l'au-
dace de l'embrasser. Comme il considérait attentivement sa
monnaie, il se laissa faire. Ne se voyant ni repoussée ni bat-
100 tue, elle recommença ; elle l'embrassa à pleins bras, à plein
cœur. Puis elle se sauva.

Que se passa-t-il dans cette misérable tête ? S'est-elle attachée à ce mioche parce qu'elle lui avait sacrifié sa fortune de
vagabonde, ou parce qu'elle lui avait donné son premier bai-
105 ser tendre ? Le mystère est le même pour les petits que pour
les grands.

Pendant des mois, elle rêva de ce coin de cimetière et de
ce gamin. Dans l'espérance de le revoir, elle vola ses parents,
grappillant[1] un sou par-ci, un sou par-là, sur un rempaillage,
110 ou sur les provisions qu'elle allait acheter.

Quand elle revint, elle avait deux francs dans sa poche,
mais elle ne put qu'apercevoir le petit pharmacien, bien propre, derrière les carreaux de la boutique paternelle, entre un
bocal rouge et un ténia[2].

115 Elle ne l'en aima que davantage, séduite, émue, extasiée[3] par
cette gloire de l'eau colorée, cette apothéose[4] des cristaux luisants.

Elle garda en elle son souvenir ineffaçable, et, quand elle
le rencontra, l'an suivant, derrière l'école, jouant aux billes

---

Vocabulaire
1. *Grappillant* : récupérant sans y être autorisée.
2. *Ténia* : ver solitaire (ici, conservé dans un bocal).
3. *Extasiée* : pleine d'admiration.
4. *Apothéose* : très grand honneur.

avec ses camarades, elle se jeta sur lui, le saisit dans ses bras,
120 et le baisa avec tant de violence qu'il se mit à hurler de peur.
Alors, pour l'apaiser, elle lui donna son argent : trois francs
vingt, un vrai trésor, qu'il regardait avec des yeux agrandis.

Il le prit et se laissa caresser tant qu'elle voulut.

Pendant quatre ans encore, elle versa entre ses mains
125 toutes ses réserves, qu'il empochait avec conscience en
échange de baisers consentis. Ce fut une fois trente sous, une
fois deux francs, une fois douze sous (elle en pleura de peine
et d'humiliation, mais l'année avait été mauvaise) et la dernière fois, cinq francs, une grosse pièce ronde, qui le fit rire
130 d'un rire content.

Elle ne pensait plus qu'à lui ; et il attendait son retour avec
une certaine impatience, courait au-devant d'elle en la
voyant, ce qui faisait bondir le cœur de la fillette.

Puis il disparut. On l'avait mis au collège. Elle le sut en
135 interrogeant habilement. Alors elle usa d'une diplomatie[1] infinie pour changer l'itinéraire de ses parents et les faire passer
par ici au moment des vacances. Elle y réussit, mais après un
an de ruses. Elle était donc restée deux ans sans le revoir ; et
elle le reconnut à peine, tant il était changé, grandi, embelli,
140 imposant[2] dans sa tunique à boutons d'or. Il feignit de ne pas
la voir et passa fièrement près d'elle.

Elle en pleura pendant deux jours ; et depuis lors elle souffrit sans fin.

Vocabulaire
1. *Diplomatie* : ici, de sagesse et de ruse.
2. *Imposant* : intimidant car intimant le respect et l'admiration.

Tous les ans elle revenait ; passait devant lui sans oser le
145 saluer et sans qu'il daignât même tourner les yeux vers elle.
Elle l'aimait éperdument[1]. Elle me dit : « C'est le seul homme
que j'aie vu sur la terre, monsieur le médecin ; je ne sais pas
si les autres existaient seulement. »

Ses parents moururent. Elle continua leur métier, mais elle
150 prit deux chiens au lieu d'un, deux terribles chiens qu'on
n'aurait pas osé braver.

Un jour, en rentrant dans ce village où son cœur était resté,
elle aperçut une jeune femme qui sortait de la boutique
Chouquet au bras de son bien-aimé. C'était sa femme. Il était
155 marié.

Le soir même, elle se jeta dans la mare qui est sur la place
de la Mairie. Un ivrogne attardé la repêcha, et la porta à la
pharmacie. Le fils Chouquet descendit en robe de chambre,
pour la soigner, et, sans paraître la reconnaître, la déshabilla,
160 la frictionna[2], puis il lui dit d'une voix dure : « Mais vous êtes
folle ! Il ne faut pas être bête comme ça ! »

Cela suffit pour la guérir. Il lui avait parlé ! Elle était heureuse pour longtemps.

Il ne voulut rien recevoir en rémunération de ses soins,
165 bien qu'elle insistât vivement pour le payer.

Et toute sa vie s'écoula ainsi. Elle rempaillait en songeant
à Chouquet. Tous les ans, elle l'apercevait derrière ses vitraux.
Elle prit l'habitude d'acheter chez lui des provisions de menus

---

Vocabulaire
1. *Éperdument* : follement.

2. *Frictionna* : ici, lui frotta le corps
avec force pour la réchauffer.

médicaments. De la sorte elle le voyait de près, et lui parlait,
170 et lui donnait encore de l'argent.

Comme je vous l'ai dit en commençant, elle est morte ce printemps. Après m'avoir raconté toute cette triste histoire, elle me pria de remettre à celui qu'elle avait si patiemment aimé toutes les économies de son existence, car elle n'avait
175 travaillé que pour lui, disait-elle, jeûnant[1] même pour mettre de côté, et être sûre qu'il penserait à elle, au moins une fois, quand elle serait morte.

Elle me donna donc deux mille trois cent vingt-sept francs. Je laissai à M. le curé les vingt-sept francs pour l'enterrement,
180 et j'emportai le reste quand elle eut rendu le dernier soupir.

Le lendemain, je me rendis chez les Chouquet. Ils achevaient de déjeuner, en face l'un de l'autre, gros et rouges, fleurant[2] les produits pharmaceutiques, importants et satisfaits.

On me fit asseoir ; on m'offrit un kirsch[3], que j'acceptai ;
185 et je commençai mon discours d'une voix émue, persuadé qu'ils allaient pleurer.

Dès qu'il eut compris qu'il avait été aimé de cette vagabonde, de cette rempailleuse, de cette rouleuse[4], Chouquet bondit d'indignation, comme si elle lui avait volé sa réputa-
190 tion, l'estime des honnêtes gens, son honneur intime, quelque chose de délicat qui lui était plus cher que la vie.

Sa femme, aussi exaspérée[5] que lui, répétait : « Cette

Vocabulaire

1. *Jeûnant* : se privant de manger.
2. *Fleurant* : dégageant une odeur.
3. *Kirsch* : liqueur de cerise.
4. *Rouleuse* : femme à ne pas fréquenter.
5. *Exaspérée* : agacée, en colère.

gueue[1] ! cette gueuse ! cette gueuse !... » Sans pouvoir trouver autre chose.

195   Il s'était levé ; il marchait à grands pas derrière la table, le bonnet grec chaviré[2] sur une oreille. Il balbutiait : « Comprend-on ça, docteur ? Voilà de ces choses horribles pour un homme ! Que faire ? Oh ! si je l'avais su de son vivant, je l'aurais fait arrêter par la gendarmerie et flanquer en prison.

200 Et elle n'en serait pas sortie, je vous en réponds ! »

    Je demeurais stupéfait du résultat de ma démarche pieuse[3]. Je ne savais que dire ni que faire. Mais j'avais à compléter ma mission. Je repris : « Elle m'a chargé de vous remettre ses économies, qui montent à deux mille trois cents francs. Comme

205 ce que je viens de vous apprendre semble vous être fort désagréable, le mieux serait peut-être de donner cet argent aux pauvres. »

    Ils me regardaient, l'homme et la femme, perclus[4] de saisissement[5].

210   Je tirai l'argent de ma poche, du misérable argent de tous les pays et de toutes les marques, de l'or et des sous mêlés. Puis je demandai : « Que décidez-vous ? »

    Mme Chouquet parla la première : « Mais, puisque c'était sa dernière volonté, à cette femme... il me semble qu'il nous

215 est bien difficile de refuser. »

Vocabulaire
1. *Gueuse* : mendiante, pauvre.
2. *Chaviré* : ici, penché.
3. *Pieuse* : ici, faite avec une bonne intention.
4. *Perclus* : immobiles.
5. *Saisissement* : surprise.

Le mari, vaguement confus, reprit : « Nous pourrions toujours acheter avec ça quelque chose pour nos enfants. »

Je dis d'un air sec : « Comme vous voudrez. »

Il reprit : « Donnez toujours, puisqu'elle vous en a chargé ;
220 nous trouverons bien moyen de l'employer à quelque bonne œuvre. »

Je remis l'argent, je saluai, et je partis.

Le lendemain Chouquet vint me trouver et, brusquement :
« Mais elle a laissé ici sa voiture, cette... cette femme. Qu'est-
225 ce que vous en faites, de cette voiture ?

– Rien, prenez-la si vous voulez.

– Parfait ; cela me va ; j'en ferai une cabane pour mon potager.

Il s'en allait. Je le rappelai. « Elle a laissé aussi son vieux
230 cheval et ses deux chiens. Les voulez-vous ? » Il s'arrêta, surpris : « Ah ! non, par exemple ; que voulez-vous que j'en fasse ? Disposez-en[1] comme vous voudrez. » Et il riait. Puis il me tendit sa main que je serrai. Que voulez-vous ? Il ne faut pas dans un pays, que le médecin et le pharmacien soient
235 ennemis.

J'ai gardé les chiens chez moi. Le curé, qui a une grande cour, a pris le cheval. La voiture sert de cabane à Chouquet ; et il a acheté cinq obligations[2] de chemin de fer avec l'argent.

Voilà le seul amour profond que j'aie rencontré, dans ma
240 vie. »

Vocabulaire
1. *Disposez-en* : faites-en.
2. *Obligations* : titres boursiers, actions.

Le médecin se tut.

Alors la marquise, qui avait des larmes dans les yeux, soupira : « Décidément, il n'y a que les femmes pour savoir aimer ! »

Aux champs

À Octave Mirbeau

Les deux chaumières étaient côte à côte, au pied d'une colline, proches d'une petite ville de bains[1]. Les deux paysans besognaient dur sur la terre inféconde pour élever tous leurs petits. Chaque ménage en avait quatre. Devant les deux portes
5 voisines, toute la marmaille[2] grouillait du matin au soir. Les deux aînés avaient six ans et les deux cadets quinze mois environ ; les mariages et, ensuite les naissances, s'étaient produits à peu près simultanément dans l'une et l'autre maison.

Les deux mères distinguaient à peine leurs produits dans
10 le tas ; et les deux pères confondaient tout à fait. Les huit noms dansaient dans leur tête, se mêlaient sans cesse ; et, quand il fallait en appeler un, les hommes souvent en criaient trois avant d'arriver au véritable.

La première des deux demeures, en venant de la station
15 d'eaux de Rolleport, était occupée par les Tuvache, qui avaient trois filles et un garçon ; l'autre masure[3] abritait les Vallin, qui avaient une fille et trois garçons.

Tout cela vivait péniblement de soupe, de pomme de terre et de grand air. À sept heures, le matin, puis à midi, puis à six
20 heures, le soir, les ménagères réunissaient leurs mioches pour

---

Vocabulaire
1. *Ville de bains* : ville dans laquelle on peut faire des cures thermales.
2. *Marmaille* : groupe d'enfants (familier).
3. *Masure* : habitation en très mauvais état.

donner la pâtée, comme des gardeurs d'oies assemblent leurs bêtes. Les enfants étaient assis, par rang d'âge, devant la table en bois, vernie par cinquante ans d'usage. Le dernier moutard avait à peine la bouche au niveau de la planche. On posait
25 devant eux l'assiette creuse pleine de pain molli dans l'eau où avaient cuit les pommes de terre, un demi-chou et trois oignons ; et toute la lignée mangeait jusqu'à plus faim. La mère empâtait[1] elle-même le petit. Un peu de viande au pot-au-feu, le dimanche, était une fête pour tous, et le père, ce
30 jour-là, s'attardait au repas en répétant : « Je m'y ferais bien tous les jours. »

Par un après-midi du mois d'août, une légère voiture s'arrêta brusquement devant les deux chaumières, et une jeune femme, qui conduisait elle-même, dit au monsieur assis à côté
35 d'elle :

– Oh ! regarde, Henri, ce tas d'enfants ! Sont-ils jolis, comme ça, à grouiller dans la poussière.

L'homme ne répondit rien, accoutumé[2] à ces admirations qui étaient une douleur et presque un reproche pour lui.

40 La jeune femme reprit :

– Il faut que je les embrasse ! Oh ! comme je voudrais en avoir un, celui-là, le tout petit.

Et, sautant de la voiture, elle courut aux enfants, prit un des deux derniers, celui des Tuvache, et, l'enlevant dans ses
45 bras, elle le baisa passionnément sur ses joues sales, sur ses

---

Vocabulaire
1. *Empâtait* : ici, nourrissait.   2. *Accoutumé* : habitué.

cheveux blonds frisés et pommadés[1] de terre, sur ses menottes qu'il agitait pour se débarrasser des caresses ennuyeuses.

Puis elle remonta dans sa voiture et partit au grand trot. Mais elle revint la semaine suivante, s'assit elle-même par
50 terre, prit le moutard dans ses bras, le bourra de gâteaux, donna des bonbons à tous les autres ; et joua avec eux comme une gamine, tandis que son mari attendait patiemment dans sa frêle[2] voiture.

Elle revint encore, fit connaissance avec les parents, repa-
55 rut tous les jours, les poches pleines de friandises et de sous.

Elle s'appelait Mme Henri d'Hubières.

Un matin, en arrivant, son mari descendit avec elle ; et, sans s'arrêter aux mioches, qui la connaissaient bien mainte-nant, elle pénétra dans la demeure des paysans.

60 Ils étaient là, en train de fendre du bois pour la soupe ; ils se redressèrent tout surpris, donnèrent des chaises et attendi-rent. Alors la jeune femme, d'une voix entrecoupée, trem-blante commença :

– Mes braves gens, je viens vous trouver parce que je vou-
65 drais bien… je voudrais bien emmener avec moi votre… votre petit garçon…

Les campagnards, stupéfaits et sans idée, ne répondirent pas.

Elle reprit haleine et continua.

70 – Nous n'avons pas d'enfants ; nous sommes seuls, mon mari et moi… Nous le garderions… voulez-vous ?

Vocabulaire
1. *Pommadés* : ici, recouverts.   **2.** *Frêle* : fragile.

La paysanne commençait à comprendre. Elle demanda :

– Vous voulez nous prend'e Charlot ? Ah ben non, pour sûr.

Alors M. d'Hubières intervint :

75 – Ma femme s'est mal expliquée. Nous voulons l'adopter, mais il reviendra vous voir. S'il tourne bien[1], comme tout porte à le croire, il sera notre héritier. Si nous avions, par hasard, des enfants, il partagerait également avec eux. Mais s'il ne répondait pas à nos soins[2], nous lui donnerions, à sa 80 majorité, une somme de vingt mille francs, qui sera immédiatement déposée en son nom chez un notaire. Et, comme on a aussi pensé à vous, on vous servira jusqu'à votre mort, une rente de cent francs par mois. Avez-vous bien compris ?

La fermière s'était levée, toute furieuse.

85 – Vous voulez que j'vous vendions Charlot ? Ah ! mais non ; c'est pas des choses qu'on d'mande à une mère ça ! Ah ! mais non ! Ce serait abomination[3].

L'homme ne disait rien, grave et réfléchi ; mais il approuvait sa femme d'un mouvement continu de la tête.

90 Mme d'Hubières, éperdue[4], se mit à pleurer, et, se tournant vers son mari, avec une voix pleine de sanglots, une voix d'enfant dont tous les désirs ordinaires sont satisfaits, elle balbutia :

– Ils ne veulent pas, Henri, ils ne veulent pas !

Alors ils firent une dernière tentative.

Vocabulaire
1. *Tourne bien* : devient quelqu'un de bien en grandissant.
2. *Ne répondait pas à nos soins* : n'évoluait pas comme nous le souhaitons.

3. *Abomination* : chose affreuse.
4. *Éperdue* : très troublée.

95 – Mais, mes amis, songez à l'avenir de votre enfant, à son bonheur, à...

La paysanne, exaspérée[1], lui coupa la parole :

– C'est tout vu, c'est tout entendu, c'est tout réfléchi... Allez-vous-en, et pi, que j'vous revoie point par ici. C'est-i per-
100 mis d'vouloir prendre un éfant comme ça !

Alors Mme d'Hubières, en sortant, s'avisa[2] qu'ils étaient deux tout petits, et elle demanda à travers ses larmes, avec une ténacité[3] de femme volontaire et gâtée, qui ne veut jamais attendre :

105 – Mais l'autre petit n'est pas à vous ?

Le père Tuvache répondit :

– Non, c'est aux voisins ; vous pouvez y aller si vous voulez.

Et il rentra dans sa maison, où retentissait la voix indignée
110 de sa femme.

Les Vallin étaient à table, en train de manger avec lenteur des tranches de pain qu'ils frottaient parcimonieusement[4] avec un peu de beurre piqué au couteau, dans une assiette entre eux deux.

115 M. d'Hubières recommença ses propositions, mais avec plus d'insinuations, de précautions oratoires[5], d'astuce.

Les deux ruraux[6] hochaient la tête en signe de refus ; mais

---

Vocabulaire

1. *Exaspérée* : agacée.
2. *S'avisa* : se rendit compte.
3. *Ténacité* : entêtement.

4. *Parcimonieusement* : avec de très petites quantités.
5. *Oratoires* : propres au langage.
6. *Ruraux* : paysans.

quand ils apprirent qu'ils auraient cent francs par mois, ils se considérèrent[1], se consultant de l'oeil, très ébranlés.

120 Ils gardèrent longtemps le silence, torturés, hésitants. La femme enfin demanda :

– Qué qu't'en dis, l'homme ? Il prononça d'un ton sentencieux[2] :

– J'dis qu'c'est point méprisable.

125 Alors Mme d'Hubières, qui tremblait d'angoisse, leur parla de l'avenir du petit, de son bonheur, et de tout l'argent qu'il pourrait leur donner plus tard.

Le paysan demanda :

– C'te rente de douze cents francs, ce s'ra promis d'vant
130 l'notaire ?

M. d'Hubières répondit :

– Mais certainement, dès demain.

La fermière, qui méditait[3], reprit :

– Cent francs par mois, c'est point suffisant pour nous priver du p'tit ; ça travaillera dans quéqu'z'ans ct'éfant ; i nous
135
faut cent vingt francs.

Mme d'Hubières trépignant[4] d'impatience, les accorda tout de suite ; et, comme elle voulait enlever l'enfant, elle donna cent francs en cadeau pendant que son mari faisait un écrit.
140 Le maire et un voisin, appelés aussitôt, servirent de témoins complaisants[5].

Vocabulaire

1. *Se considérèrent* : se regardèrent.
2. *Sentencieux* : solennel.
3. *Méditait* : réfléchissait.

4. *Trépignant* : ici, se dandinant sur place.
5. *Complaisants* : qui veulent faire plaisir, rendre service.

Et la jeune femme, radieuse[1], emporta le marmot hurlant, comme on emporte un bibelot désiré d'un magasin.

Les Tuvache sur leur porte, le regardaient partir muets, 145 sévères, regrettant peut-être leur refus.

On n'entendit plus du tout parler du petit Jean Vallin. Les parents, chaque mois, allaient toucher leurs cent vingt francs chez le notaire ; et ils étaient fâchés avec leurs voisins parce que la mère Tuvache les agonisait d'ignominies[2], répétant sans 150 cesse de porte en porte qu'il fallait être dénaturé[3] pour vendre son enfant, que c'était une horreur, une saleté, une corromperie[4].

Et parfois elle prenait en ses bras son Charlot avec ostentation[5], lui criant, comme s'il eût compris :

155 – J't'ai pas vendu, mé, j't'ai pas vendu, mon p'tiot. J'vends pas m's éfants, mé. J'sieus pas riche, mais vends pas m's éfants.

Et, pendant des années et encore des années, ce fut ainsi chaque jour des allusions grossières qui étaient vociférées[6] devant la porte, de façon à entrer dans la maison voisine. La 160 mère Tuvache avait fini par se croire supérieure à toute la contrée parce qu'elle n'avait pas vendu Charlot. Et ceux qui parlaient d'elle disaient :

– J'sais ben que c'était engageant, c'est égal, elle s'a conduite comme une bonne mère.

Vocabulaire
1. *Radieuse* : illuminée par le bonheur.
2. *Agonisait d'ignominies* : couvrait d'injures.
3. *Dénaturé* : dépravé, sans valeurs morales.
4. *Corromperie* : corruption.
5. *Ostentation* : exagération.
6. *Vociférées* : hurlées.

165   On la citait ; et Charlot, qui prenait dix-huit ans, élevé dans cette idée qu'on lui répétait sans répit, se jugeait lui-même supérieur à ses camarades, parce qu'on ne l'avait pas vendu.

Les Vallin vivotaient[1] à leur aise, grâce à la pension. Leur fils aîné partit au service. Le second mourut.

170   La fureur inapaisable des Tuvache, restés misérables, venait de là. Charlot resta seul à peiner avec le vieux père pour nourrir la mère et deux autres sœurs cadettes qu'il avait.

Il prenait[2] vingt et un ans, quand, un matin, une brillante voiture s'arrêta devant les deux chaumières. Un jeune mon-
175   sieur, avec une chaîne de montre en or, descendit, donnant la main à une vieille dame en cheveux blancs. La vieille dame lui dit :

– C'est là, mon enfant, à la seconde maison.

Et il entra comme chez lui dans la masure des Vallin.

180   La vieille mère lavait ses tabliers ; le père, infirme, sommeillait près de l'âtre. Tous deux levèrent la tête, et le jeune homme dit :

– Bonjour, papa ; bonjour maman.

Ils se dressèrent, effarés[3]. La paysanne laissa tomber d'émoi
185   son savon dans son eau et balbutia :

– C'est-i té, m'n éfant ? C'est-i té, m'n éfant ?

Il la prit dans ses bras et l'embrassa, en répétant : – "Bonjour, maman". Tandis que le vieux, tout tremblant, disait, de son ton

---

Vocabulaire
1. *Vivotaient* : vivaient.
2. *Prenait* : avait.
3. *Effarés* : très surpris.

calme qu'il ne perdait jamais : "Te v'là-t'il revenu, Jean ?".
190 Comme s'il l'avait vu un mois auparavant.

Et, quand ils se furent reconnus, les parents voulurent tout de suite sortir le fieu[1] dans le pays pour le montrer. On le conduisit chez le maire, chez l'adjoint, chez le curé, chez l'instituteur.

195 Charlot, debout sur le seuil de sa chaumière, le regardait passer.

Le soir, au souper il dit aux vieux :

– Faut-il qu'vous ayez été sots pour laisser prendre le p'tit aux Vallin !

200 Sa mère répondit obstinément :

– J'voulions point vendre not' éfant !

Le père ne disait rien. Le fils reprit :

– C'est-il pas malheureux d'être sacrifié comme ça !

Alors le père Tuvache articula d'un ton coléreux :

205 – Vas-tu pas nous r'procher d' t'avoir gardé ?

Et le jeune homme, brutalement :

– Oui, j'vous le r'proche, que vous n'êtes que des niants[2]. Des parents comme vous, ça fait l'malheur des éfants. Qu'vous mériteriez que j'vous quitte.

210 La bonne femme pleurait dans son assiette. Elle gémit tout en avalant des cuillerées de soupe dont elle répandait la moitié :

– Tuez-vous donc pour élever d's éfants !

Vocabulaire

1. *Fieu* : fils (patois en général écrit avec un *x* à la fin).

2. *Niants* : probablement niais, idiots.

Alors le gars, rudement :

215 – J'aimerais mieux n'être point né que d'être c'que j'suis. Quand j'ai vu l'autre, tantôt, mon sang n'a fait qu'un tour. Je m'suis dit : – V'là c'que j'serais maintenant.

Il se leva.

– Tenez, j'sens bien que je ferai mieux de n'pas rester ici, 220 parce que j'vous le reprocherais du matin au soir, et que j'vous ferais une vie d'misère. Ca, voyez-vous, j'vous l'pardonnerai jamais !

Les deux vieux se taisaient, atterrés[1], larmoyants.

Il reprit :

225 – Non, c't'idée-là, ce serait trop dur. J'aime mieux m'en aller chercher ma vie aut'part !

Il ouvrit la porte. Un bruit de voix entra. Les Vallin festoyaient[2] avec l'enfant revenu.

Alors Charlot tapa du pied et, se tournant vers ses parents, 230 cria :

– Manants[3], va !

Et il disparut dans la nuit.

Vocabulaire
1. *Atterrés* : abattus, ici, par le chagrin.
2. *Festoyaient* : faisaient la fête.
3. *Manants* : paysans.

Mon Oncle Jules

À M. Achille Bénouville

Un vieux pauvre, à barbe blanche, nous demanda l'aumône. Mon camarade Joseph Davranche lui donna cent sous. Je fus surpris. Il me dit :

– Ce misérable m'a rappelé une histoire que je vais te dire
5 et dont le souvenir me poursuit sans cesse. La voici :

Ma famille, originaire du Havre, n'était pas riche. On s'en tirait, voilà tout. Le père travaillait, rentrait tard du bureau et ne gagnait pas grand-chose. J'avais deux sœurs.

Ma mère souffrait beaucoup de la gêne[1] où nous vivions,
10 et elle trouvait souvent des paroles aigres[2] pour son mari, des reproches voilés et perfides[3]. Le pauvre homme avait alors un geste qui me navrait. Il se passait la main ouverte sur le front, comme pour essuyer une sueur qui n'existait pas, et il ne répondait rien. Je sentais sa douleur impuissante. On écono-
15 misait sur tout ; on n'acceptait jamais un dîner, pour n'avoir pas à le rendre[4] ; on achetait les provisions au rabais, les fonds de boutique. Mes sœurs faisaient leurs robes elles-mêmes et avaient de longues discussions sur le prix du galon[5] qui valait quinze centimes le mètre. Notre nourriture ordinaire consis-
20 tait en soupe grasse et bœuf accommodé à toutes les sauces.

Vocabulaire

1. *Gêne* : manque d'argent.
2. *Aigres* : amères, blessantes.
3. *Perfides* : déloyaux, mensongers.
4. *N'avoir pas à le rendre* : n'être pas obligé d'inviter en retour.
5. *Galon* : sorte de ruban.

Cela est sain et réconfortant, paraît-il ; j'aurais préféré autre chose.

On me faisait des scènes abominables pour les boutons perdus et les pantalons déchirés.

25 Mais chaque dimanche nous allions faire notre tour de jetée[1] en grande tenue. Mon père, en redingote[2], en grand chapeau, en gants, offrait le bras à ma mère, pavoisée[3] comme un navire un jour de fête. Mes sœurs, prêtes les premières, attendaient le signal du départ ; mais, au dernier moment, on 30 découvrait toujours une tache oubliée sur la redingote du père de famille, et il fallait bien vite l'effacer avec un chiffon mouillé de benzine[4].

Mon père, gardant son grand chapeau sur la tête, attendait, en manches de chemise, que l'opération fût terminée, 35 tandis que ma mère se hâtait, ayant ajusté ses lunettes de myope, et ôté ses gants pour ne pas les gâter.

On se mettait en route avec cérémonie. Mes sœurs marchaient devant, en se donnant le bras. Elles étaient en âge de mariage, et on en faisait montre en ville. Je me tenais à gauche 40 de ma mère, dont mon père gardait la droite. Et je me rappelle l'air pompeux[5] de mes pauvres parents dans ces promenades du dimanche, la rigidité de leurs traits, la sévérité de leur allure. Ils avançaient d'un pas grave, le corps droit, les jambes raides, comme si une affaire d'une importance extrême eût dépendu 45 de leur tenue.

Vocabulaire
1. *Jetée* : bord de mer.
2. *Redingote* : veste longue.
3. *Pavoisée* : ici, couverte de décorations.
4. *Benzine* : détachant.
5. *Pompeux* : important.

Et chaque dimanche, en voyant entrer les grands navires qui revenaient de pays inconnus et lointains, mon père prononçait invariablement les mêmes paroles :

– Hein ! si Jules était là-dedans, quelle surprise !

50 Mon oncle Jules, le frère de mon père, était le seul espoir de la famille, après en avoir été la terreur. J'avais entendu parler de lui depuis mon enfance, et il me semblait que je l'aurais reconnu du premier coup, tant sa pensée m'était devenue familière[1]. Je savais tous les détails de son existence jusqu'au
55 jour de son départ pour l'Amérique, bien qu'on ne parlât qu'à voix basse de cette période de sa vie.

Il avait eu, paraît-il, une mauvaise conduite, c'est-à-dire qu'il avait mangé quelque argent[2], ce qui est bien le plus grand des crimes pour les familles pauvres. Chez les riches, un
60 homme qui s'amuse fait des bêtises. Il est ce qu'on appelle en souriant, un noceur. Chez les nécessiteux, un garçon qui force les parents à écorner[3] le capital devient un mauvais sujet, un gueux, un drôle !

Et cette distinction est juste, bien que le fait soit le même,
65 car les conséquences seules déterminent la gravité de l'acte.

Enfin l'oncle Jules avait notablement diminué l'héritage sur lequel comptait mon père ; après avoir d'ailleurs mangé sa part jusqu'au dernier sou.

On l'avait embarqué pour l'Amérique, comme on faisait
70 alors, sur un navire marchand allant du Havre à New York.

Vocabulaire
1. *Familière* : bien connue.
2. *Mangé quelque argent* : dépensé beaucoup d'argent.
3. *Écorner* : entamer.

Une fois là-bas, mon oncle Jules s'établit marchand de je ne sais quoi, et il écrivit qu'il gagnait un peu d'argent et qu'il espérait pouvoir dédommager¹ mon père du tort qu'il lui avait fait. Cette lettre causa dans la famille une émotion profonde.

75 Jules, qui ne valait pas, comme on dit, les quatre fers d'un chien, devint tout à coup un honnête homme, un garçon de cœur, un vrai Davranche, intègre² comme tous les Davranche.

Un capitaine nous apprit en outre qu'il avait loué une grande boutique et qu'il faisait un commerce important.

80 Une seconde lettre, deux ans plus tard, disait : « Mon cher Philippe, je t'écris pour que tu ne t'inquiètes pas de ma santé, qui est bonne. Les affaires aussi vont bien. Je pars demain pour un long voyage dans l'Amérique du Sud. Je serai peut-être plusieurs années sans te donner de mes nouvelles. Si je ne t'écris

85 pas, ne sois pas inquiet. Je reviendrai au Havre une fois fortune faite. J'espère que ce ne sera pas trop long, et nous vivrons heureux ensemble… »

Cette lettre était devenue l'évangile³ de la famille. On la lisait à tout propos, on la montrait à tout le monde.

90 Pendant dix ans en effet, l'oncle Jules ne donna plus de nouvelles ; mais l'espoir de mon père grandissait à mesure que le temps marchait ; et ma mère disait souvent :

– Quand ce bon Jules sera là, notre situation changera. En voilà un qui a su se tirer d'affaire !

95 Et chaque dimanche, en regardant venir de l'horizon les

Vocabulaire
1. *Dédommager* : rembourser.
2. *Intègre* : honnête.
3. *Évangile* : texte biblique.

gros vapeurs noirs vomissant sur le ciel des serpents de fumée, mon père répétait sa phrase éternelle :

– Hein ! si Jules était là-dedans, quelle surprise !

Et on s'attendait presque à le voir agiter un mouchoir, et
100 crier :

– Ohé ! Philippe.

On avait échafaudé[1] mille projets sur ce retour assuré ; on devait même acheter, avec l'argent de l'oncle, une petite maison de campagne près d'Ingouville. Je n'affirmerais pas que
105 mon Père n'eût point entamé déjà des négociations à ce sujet.

L'aînée de mes sœurs avait alors vingt-huit ans ; l'autre vingt-six. Elles ne se mariaient pas, et c'était là un gros chagrin pour tout le monde.

Un prétendant enfin se présenta pour la seconde. Un
110 employé, pas riche, mais honorable. J'ai toujours eu la conviction que la lettre de l'oncle Jules, montrée un soir, avait terminé[2] les hésitations et emporté la résolution du jeune homme.

On l'accepta avec empressement, et il fut décidé qu'après
115 le mariage toute la famille ferait ensemble un petit voyage à Jersey.

Jersey est l'idéal du voyage pour les gens pauvres. Ce n'est pas loin ; on passe la mer dans un paquebot et on est en terre étrangère, cet îlot appartenant aux Anglais. Donc, un Français,
120 avec deux heures de navigation, peut s'offrir la vue d'un peuple voisin chez lui et étudier les mœurs, déplorables d'ailleurs,

---

Vocabulaire
1. *Échafaudé* : bâti ; ici, imaginé.   2. *Terminé* : mis fin.

de cette île couverte par le pavillon britannique, comme disent les gens qui parlent avec simplicité.

Ce voyage de Jersey devint notre préoccupation, notre
125 unique attente, notre rêve de tous les instants.

On partit enfin. Je vois cela comme si c'était d'hier : le vapeur chauffant[1] contre le quai de Granville ; mon père, effaré, surveillant l'embarquement de nos trois colis ; ma mère inquiète ayant pris le bras de ma sœur non mariée, qui sem-
130 blait perdue depuis le départ de l'autre, comme un poulet resté seul de sa couvée ; et, derrière nous, les nouveaux époux qui restaient toujours en arrière, ce qui me faisait souvent tourner la tête.

Le bâtiment siffla. Nous voici montés, et le navire, quit-
135 tant la jetée, s'éloigna sur une mer plate comme une table de marbre vert. Nous regardions les côtes s'enfuir, heureux et fiers comme tous ceux qui voyagent peu.

Mon père tendait son ventre, sous sa redingote dont on avait, le matin même, effacé avec soin toutes les taches, et il
140 répandait autour de lui cette odeur de benzine des jours de sortie, qui me faisait reconnaître les dimanches.

Tout à coup, il avisa[2] deux dames élégantes à qui deux messieurs offraient des huîtres. Un vieux matelot déguenillé[3] ouvrait d'un coup de couteau les coquilles et les passait aux
145 messieurs qui les tendaient ensuite aux dames. Elles man-

---

Vocabulaire
1. *Chauffant* : poussant le feu de sa chaudière pour partir.
2. *Avisa* : remarqua.
3. *Déguenillé* : habillé de vêtements déchirés.

geaient d'une manière délicate, en tenant l'écaille sur un mouchoir fin et en avançant la bouche pour ne point tacher leurs robes. Puis elles buvaient l'eau d'un petit mouvement rapide et jetaient la coquille à la mer.

150 Mon père, sans doute, fut séduit par cet acte distingué de manger des huîtres sur un navire en marche. Il trouva cela bon genre, raffiné, supérieur, et il s'approcha de ma mère et de mes sœurs en demandant :

– Voulez-vous que je vous offre quelques huîtres ?

155 Ma mère hésitait, à cause de la dépense ; mais mes deux sœurs acceptèrent tout de suite. Ma mère dit, d'un ton contrarié :

– J'ai peur de me faire mal à l'estomac. Offre ça aux enfants seulement, mais pas trop, tu les rendrais malades.

160 Puis, se tournant vers moi, elle ajouta :

– Quant à joseph, il n'en a pas besoin ; il ne faut point gâter les garçons.

Je restai donc à côté de ma mère, trouvant injuste cette distinction. Je suivais de l'œil mon père, qui conduisait pom-
165 peusement[1] ses deux filles et son gendre[2] vers le vieux matelot déguenillé.

Les deux dames venaient de partir, et mon père indiquait à mes sœurs comment il fallait s'y prendre pour manger sans laisser couler l'eau ; il voulut même donner l'exemple et il
170 s'empara d'une huître. En essayant d'imiter les dames, il ren-

---

Vocabulaire
1. *Pompeusement* : en se donnant un air important.   **2.** *Gendre* : beau-fils.

versa immédiatement tout le liquide sur sa redingote et j'entendis ma mère murmurer :

– Il ferait mieux de se tenir tranquille.

Mais tout à coup mon père me parut inquiet ; il s'éloigna
175 de quelques pas, regarda fixement sa famille pressée autour de l'écailleur[1], et, brusquement, il vint vers nous. Il me sembla fort pâle, avec des yeux singuliers[2]. Il dit, à mi-voix, à ma mère.

– C'est extraordinaire, comme cet homme qui ouvre les
180 huîtres ressemble à Jules.

Ma mère, interdite[3], demanda :

– Quel Jules ?....

Mon père reprit :

– Mais... mon frère... Si je ne le savais pas en bonne posi-
185 tion en Amérique, je croirais que c'est lui.

Ma mère effarée balbutia :

– Tu es fou ! Du moment que tu sais bien que ce n'est pas lui, pourquoi dire ces bêtises-là ?

– Va donc le voir, Clarisse ; j'aime mieux que tu t'en assures
190 toi-même, de tes propres yeux.

Elle se leva et alla rejoindre ses filles. Moi aussi, je regardais l'homme. Il était vieux, sale, tout ridé, et ne détournait pas le regard de sa besogne.

Ma mère revint. Je m'aperçus qu'elle tremblait. Elle pro-
195 nonça très vite :

Vocabulaire
1. *Ecailleur* : celui qui ouvre les huîtres.   3. *Interdite* : surprise.
2. *Singuliers* : étranges.

– Je crois que c'est lui. Va donc demander des renseignements au capitaine. Surtout sois prudent, pour que ce garnement ne nous retombe pas sur les bras, maintenant !

Mon père s'éloigna, mais je le suivis. Je me sentais étrangement ému.

Le capitaine, un grand monsieur, maigre, à longs favoris[1], se promenait sur la passerelle d'un air important, comme s'il eût commandé le courrier[2] des Indes.

Mon père l'aborda avec cérémonie, en l'interrogeant sur son métier avec accompagnement de compliments :

« Quelle était l'importance de Jersey ? Ses productions ? Sa population ? Ses mœurs ? Ses coutumes ? La nature du sol », etc., etc.

On eût cru qu'il s'agissait au moins des États-Unis d'Amérique.

Puis on parla du bâtiment qui nous portait, *l'Express*, puis on en vint à l'équipage. Mon père, enfin, d'une voix troublée :

– Vous avez là un vieil écailleur d'huîtres qui paraît bien intéressant. Savez-vous quelques détails sur ce bonhomme ?

Le capitaine, que cette conversation finissait par irriter, répondit sèchement :

– C'est un vieux vagabond français que j'ai trouvé en Amérique l'an dernier, et que j'ai rapatrié. Il a, paraît-il, des parents au Havre, mais il ne veut pas retourner près d'eux, parce qu'il leur doit de l'argent. Il s'appelle Jules... Jules Darmanche ou Darvanche, quelque chose comme ça, enfin.

Vocabulaire

1. *Favoris* : parties de la barbe qui se trouvent sur le côté des joues.

2. *Courrier* : navire qui faisait la liaison avec l'Inde.

Il paraît qu'il a été riche un moment là-bas, mais vous voyez où il en est réduit maintenant.

Mon père, qui devenait livide[1], articula, la gorge serrée, les yeux hagards[2] :

225 – Ah ! ah ! très bien… fort bien… Cela ne m'étonne pas… Je vous remercie beaucoup, capitaine.

Et il s'en alla, tandis que le marin le regardait s'éloigner avec stupeur.

Il revint auprès de ma mère, tellement décomposé qu'elle 230 lui dit :

– Assieds-toi ; on va s'apercevoir de quelque chose.

Il tomba sur le banc en bégayant :

– C'est lui, c'est bien lui !

Puis il demanda.

235 – Qu'allons-nous faire ?….

Elle répondit vivement.

– Il faut éloigner les enfants. Puisque Joseph sait tout, il va aller les chercher. Il faut prendre garde surtout que notre gendre ne se doute de rien.

240 Mon père paraissait atterré. Il murmura :

– Quelle catastrophe !

Ma mère ajouta, devenue tout à coup furieuse :

– Je me suis toujours doutée que ce voleur ne ferait rien, et qu'il nous retomberait sur le dos ! Comme si on pouvait 245 attendre quelque chose d'un Davranche !… Et mon père se

---

Vocabulaire
1. *Livide* : très pâle.   **2.** *Hagards* : troublés.

passa la main sur le front, comme il faisait sous les reproches de sa femme.

Elle ajouta :

250 – Donne de l'argent à Joseph pour qu'il aille payer ces huîtres, à présent. Il ne manquerait plus que d'être reconnu par ce mendiant. Cela ferait un joli effet sur le navire. Allons-nous-en à l'autre bout, et fais en sorte que cet homme n'approche pas de nous !

Elle se leva, et ils s'éloignèrent après m'avoir remis une 255 pièce de cent sous[1].

Mes sœurs, surprises, attendaient leur père. J'affirmai que maman s'était trouvée un peu gênée par la mer, et je demandai à l'ouvreur d'huîtres :

– Combien est-ce que nous vous devons, monsieur ?

260 J'avais envie de dire : mon oncle.

Il répondit :

– Deux francs cinquante.

Je tendis mes cent sous et il me rendit la monnaie.

Je regardais sa main, une pauvre main de matelot toute 265 plissée, et je regardais son visage, un vieux misérable visage, triste, accablé, en me disant :

« C'est mon oncle, le frère de papa, mon oncle ! »

Je lui laissai dix sous de pourboire. Il me remercia :

– Dieu vous bénisse, mon jeune monsieur !

270 Avec l'accent d'un pauvre qui reçoit l'aumône. Je pensai qu'il avait dû mendier, là-bas !

Vocabulaire
1. *Cent sous* : cinq francs.

Mes sœurs me contemplaient, stupéfaites de ma générosité.

Quand je remis les deux francs à mon père, ma mère, surprise, demanda :

– Il y en avait pour trois francs ?.... Ce n'est pas possible.

– J'ai donné dix sous de pourboire.

Ma mère eut un sursaut et me regarda dans les yeux :

– Tu es fou ! Donner dix sous à cet homme, à ce gueux[1] !...

Elle s'arrêta sous un regard de mon père, qui désignait son gendre.

Puis on se tut.

Devant nous, à l'horizon, une ombre violette semblait sortir de la mer. C'était Jersey.

Lorsqu'on approcha des jetées, un désir violent me vint au cœur de voir encore une fois mon oncle Jules, de m'approcher, de lui dire quelque chose de consolant, de tendre.

Mais, comme personne ne mangeait plus d'huîtres, il avait disparu, descendu sans doute au fond de la cale[2] infecte où logeait ce misérable.

Et nous sommes revenus par le bateau de Saint-Malo, pour ne pas le rencontrer. Ma mère était dévorée d'inquiétude.

Je n'ai jamais revu le frère de mon père !

Voilà pourquoi tu me verras quelquefois donner cent sous aux vagabonds.

Vocabulaire
1. *Gueux* : mendiant.
2. *Cale* : fond du navire, partie la plus basse.

Le Parapluie

À Camille Oudinot

Mme Oreille était économe[1]. Elle savait la valeur d'un sou et possédait un arsenal[2] de principes sévères sur la multiplication de l'argent. Sa bonne, assurément, avait grand mal à faire danser l'anse du panier[3] ; et M. Oreille n'obtenait sa mon-
5 naie de poche qu'avec une extrême difficulté. Ils étaient à leur aise, pourtant, et sans enfants ; mais Mme Oreille éprouvait une vraie douleur à voir les pièces blanches[4] sortir de chez elle. C'était comme une déchirure pour son cœur ; et, chaque fois qu'il lui avait fallu faire une dépense de quelque importance,
10 bien qu'indispensable, elle dormait fort mal la nuit suivante.

Oreille répétait sans cesse à sa femme :

– Tu devrais avoir la main plus large, puisque nous ne mangeons jamais nos revenus.

Elle répondait :

15 – On ne sait jamais ce qui peut arriver. Il vaut mieux avoir plus que moins.

C'était une petite femme de quarante ans, vive, ridée, propre et souvent irritée.

Son mari, à tout moment, se plaignait des privations
20 qu'elle lui faisait endurer. Il en était certaines qui lui deve-

---

Vocabulaire

1. *Économe* : ici, avare.
2. *Arsenal* : ici, une grande quantité.
3. *Faire danser l'anse du panier* : essayer de gagner de l'argent sur les achats de ses employeurs.

4. *Pièces blanches* : les pièces en argent, celles qui avaient le plus de valeur.

naient particulièrement pénibles, parce qu'elles atteignaient sa vanité[1].

Il était commis[2] principal au ministère de la Guerre, demeuré là uniquement pour obéir à sa femme, pour aug-
25 menter les rentes[3] inutilisées de la maison.

Or, pendant deux ans, il vint au bureau avec le même parapluie rapiécé[4] qui donnait à rire à ses collègues. Las enfin de leurs quolibets[5], il exigea que Mme Oreille lui achetât un nouveau parapluie. Elle en prit un de huit francs cinquante, arti-
30 cle de réclame d'un grand magasin. Les employés, en apercevant cet objet jeté dans Paris par milliers, recommencèrent leurs plaisanteries, et Oreille en souffrit horriblement. Le parapluie ne valait rien. En trois mois, il fut hors de service, et la gaieté devint générale dans le Ministère. On fit
35 même une chanson qu'on entendait du matin au soir, du haut en bas de l'immense bâtiment.

Oreille, exaspéré, ordonna à sa femme de lui choisir un nouveau riflard[6], en soie fine, de vingt francs, et d'apporter une facture justificative.

40 Elle en acheta un de dix-huit francs, et déclara, rouge d'irritation, en le remettant à son époux :

– Tu en as là pour cinq ans au moins.

Oreille, triomphant, obtint un vrai succès au bureau.

Lorsqu'il rentra le soir, sa femme, jetant un regard inquiet
45 sur le parapluie, lui dit :

Vocabulaire

1. *Vanité* : orgueil.
2. *Commis* : employé à un poste peu élevé.
3. *Rentes* : revenus.

4. *Rapiécé* : raccommodé avec une pièce de tissu.
5. *Quolibets* : moqueries.
6. *Riflard* : parapluie (familier).

– Tu ne devrais pas le laisser serré avec l'élastique, c'est le moyen de couper la soie. C'est à toi d'y veiller, parce que je ne t'en achèterai pas un de sitôt.

Elle le prit, dégrafa l'anneau et secoua les plis. Mais elle
50 demeura saisie d'émotion. Un trou rond, grand comme un centime, lui apparut au milieu du parapluie. C'était une brûlure de cigare !

Elle balbutia :

– Qu'est-ce qu'il a ?

55 Son mari répondit tranquillement, sans regarder :

– Qui, quoi ? Que veux-tu dire ?

La colère l'étranglait maintenant ; elle ne pouvait plus parler :

– Tu... tu... tu as brûlé... ton... ton... parapluie. Mais tu...
60 tu... tu es donc fou !... Tu veux nous ruiner !

Il se retourna, se sentant pâlir :

– Tu dis ?

– Je dis que tu as brûlé ton parapluie. Tiens !...

Et, s'élançant vers lui comme pour le battre, elle lui mit
65 violemment sous le nez la petite brûlure circulaire.

Il restait éperdu[1] devant cette plaie, bredouillant :

– Ça, ça... qu'est-ce que c'est ? Je ne sais pas, moi ! Je n'ai rien fait, rien, je te le jure. Je ne sais pas ce qu'il a, moi, ce parapluie !

70 Elle criait maintenant :

Vocabulaire
1. *Éperdu* : troublé par la peur, l'inquiétude.

– Je parie que tu as fait des farces avec lui dans ton bureau, que tu as fait le saltimbanque[1], que tu l'as ouvert pour le montrer.

Il répondit :

75 – Je l'ai ouvert une seule fois pour montrer comme il était beau. Voilà tout. Je te le jure.

Mais elle trépignait[2] de fureur, et elle lui fit une de ces scènes conjugales qui rendent le foyer familial plus redoutable pour un homme pacifique qu'un champ de bataille où 80 pleuvent les balles.

Elle ajusta une pièce avec un morceau de soie coupé sur l'ancien parapluie, qui était de couleur différente ; et, le lendemain Oreille partit, d'un air humble[3], avec l'instrument raccommodé. Il le posa dans son armoire et n'y pensa plus que 85 comme on pense à quelque mauvais souvenir.

Mais à peine fut-il rentré, le soir, sa femme lui saisit son parapluie dans les mains, l'ouvrit pour constater son état, et demeura suffoquée[4] devant un désastre irréparable. Il était criblé de petits trous provenant évidemment de brûlures, comme 90 si on eût vidé dessus la cendre d'une pipe allumée. Il était perdu, perdu sans remède.

Elle contemplait cela sans dire un mot, trop indignée[5] pour qu'un son pût sortir de sa gorge. Lui aussi, il constatait le dégât et il restait stupide, épouvanté, consterné[6].

Vocabulaire
1. *Saltimbanque* : ici, celui qui s'exhibe devant la foule.
2. *Trépignait* : tapait des pieds.
3. *Humble* : modeste, inférieur.
4. *Suffoquée* : le souffle coupé.
5. *Indignée* : très en colère.
6. *Consterné* : abattu.

95 Puis ils se regardèrent ; puis il baissa les yeux ; puis il reçut par la figure l'objet crevé qu'elle lui jetait ; puis elle cria, retrouvant sa voix dans un emportement de fureur :

– Ah ! canaille ! canaille ! Tu en as fait[1] exprès ! Mais tu me le payeras ! Tu n'en auras plus…

100 Et la scène recommença. Après une heure de tempête, il put enfin s'expliquer. Il jura qu'il n'y comprenait rien ; que cela ne pouvait provenir que de malveillance ou de vengeance.

Un coup de sonnette le délivra. C'était un ami qui devait
105 dîner chez eux.

Mme Oreille lui soumit[2] le cas. Quant à acheter un nouveau parapluie, c'était fini, son mari n'en aurait plus.

L'ami argumenta avec raison :

– Alors, madame, il perdra[3] ses habits, qui valent certes
110 davantage.

La petite femme, toujours furieuse, répondit :

– Alors il prendra un parapluie de cuisine, je ne lui en donnerai pas un nouveau en soie.

À cette pensée, Oreille se révolta.

115 – Alors je donnerai ma démission, moi ! Mais je n'irai pas au Ministère avec un parapluie de cuisine.

L'ami reprit :

– Faites recouvrir celui-là, ça ne coûte pas très cher.

Mme Oreille, exaspérée[4], balbutiait[5] :

Vocabulaire

1. *Tu en as fait* : tu l'as fait.
2. Lui *soumit* : lui demanda ce qu'il pensait.
3. *Perdra* : abîmera.
4. *Exaspérée* : en colère.
5. *Balbutiait* : bredouille, parlait de manière confuse.

120   – Il faut au moins huit francs pour le faire recouvrir. Huit francs et dix-huit, cela fait vingt-six ! Vingt-six francs pour un parapluie, mais c'est de la folie ! c'est de la démence !

L'ami, bourgeois pauvre, eut une inspiration :

– Faites-le payer par votre Assurance. Les compagnies 125 payent les objets brûlés, pourvu que le dégât ait eu lieu dans votre domicile.

À ce conseil, la petite femme se calma net ; puis, après une minute de réflexion, elle dit à son mari :

– Demain, avant de te rendre à ton Ministère, tu iras dans 130 les bureaux de *La Maternelle* faire constater l'état de ton parapluie et réclamer le payement.

M. Oreille eut un soubresaut[1].

– Jamais de la vie je n'oserai ! C'est dix-huit francs de perdus, voilà tout. Nous n'en mourrons pas.

135   Et il sortit le lendemain avec une canne. Il faisait beau, heureusement.

Restée seule à la maison, Mme Oreille ne pouvait se consoler de la perte de ses dix-huit francs. Elle avait le parapluie sur la table de la salle à manger, et elle tournait autour, sans parvenir 140 à prendre une résolution.

La pensée de l'Assurance lui revenait à tout instant, mais elle n'osait pas non plus affronter les regards railleurs[2] des messieurs qui la recevraient, car elle était timide devant le monde, rougissant pour un rien, embarrassée dès qu'il lui fallait 145 parler à des inconnus.

Vocabulaire
1. *Soubresaut* : sursaut.   **2.** *Railleurs* : moqueurs.

Cependant le regret des dix-huit francs la faisait souffrir comme une blessure. Elle n'y voulait plus songer, et sans cesse le souvenir de cette perte la martelait[1] douloureusement. Que faire cependant ? Les heures passaient ; elle ne se décidait à
150 rien. Puis, tout à coup, comme les poltrons[2] qui deviennent crânes[3], elle prit sa résolution :

– J'irai, et nous verrons bien !

Mais il lui fallait d'abord préparer le parapluie pour que le désastre fût complet et la cause facile à soutenir. Elle prit une
155 allumette sur la cheminée et fit, entre les baleines[4], une grande brûlure, large comme la main ; puis elle roula délicatement ce qui restait de la soie, le fixa avec le cordelet élastique, mit son châle et son chapeau, et descendit d'un pied pressé vers la rue de Rivoli où se trouvait l'Assurance.

160 Mais, à mesure qu'elle approchait, elle ralentissait le pas. Qu'allait-elle dire ? Qu'allait-on lui répondre ?

Elle regardait les numéros des maisons. Elle en avait encore vingt-huit. Très bien ! elle pouvait réfléchir. Elle allait de moins en moins vite. Soudain elle tressaillit. Voici la porte,
165 sur laquelle brille en lettres d'or : « *La Maternelle*, Compagnie d'assurances contre l'incendie. ». Déjà ! Elle s'arrêta une seconde, anxieuse, honteuse, puis passa, puis revint, puis passa de nouveau, puis revint encore.

Elle se dit enfin :

Vocabulaire

1. *Martelait* : ici, obsédait.
2. *Poltrons* : lâches.
3. *Crânes* : courageux.
4. *Baleines* : tiges qui forment l'armature.

170   – Il faut y aller, pourtant. Mieux vaut plus tôt que plus tard.

Mais, en pénétrant dans la maison, elle s'aperçut que son coeur battait.

Elle entra dans une vaste pièce avec des guichets tout autour, et, par chaque guichet, on apercevait une tête
175 d'homme dont le corps était masqué par un treillage[1].

Un monsieur parut, portant des papiers. Elle s'arrêta et, d'une petite voix timide :

– Pardon, monsieur, pourriez-vous me dire où il faut s'adresser pour se faire rembourser les objets brûlés.

180   Il répondit, avec un timbre sonore[2] :

– Premier, à gauche. Au bureau des sinistres.

Ce mot l'intimida davantage encore ; et elle eut envie de se sauver, de ne rien dire, de sacrifier ses dix-huit francs. Mais à la pensée de cette somme, un peu de courage lui revint, et
185 elle monta, essoufflée, s'arrêtant à chaque marche.

Au premier, elle aperçut une porte, elle frappa. Une voix claire cria :

– Entrez !

Elle entra, et se vit dans une grande pièce où trois mes-
190 sieurs, debout, décorés[3], solennels[4], causaient.

Un d'eux lui demanda :

– Que désirez-vous, madame ?

Elle ne trouvait plus ses mots, elle bégaya :

Vocabulaire
1. *Treillage* : sorte de grillage très large.
2. *Sonore* : puissant.
3. *Décorés* : portant des décorations.
4. *Solennels* : ici, ayant un air important.

– Je viens… je viens… pour… pour un sinistre.

195 Le monsieur, poli, montra un siège.

– Donnez-vous la peine de vous asseoir, je suis à vous dans une minute.

Et, retournant vers les deux autres, il reprit la conversation.

– La Compagnie, messieurs, ne se croit pas engagée envers 200 vous pour plus de quatre cent mille francs. Nous ne pouvons admettre vos revendications pour les cent mille francs que vous prétendez nous faire payer en plus. L'estimation d'ailleurs…

Un des deux autres l'interrompit :

– Cela suffit, monsieur, les tribunaux décideront. Nous 205 n'avons plus qu'à nous retirer.

Et ils sortirent après plusieurs saluts cérémonieux.

Oh ! si elle avait osé partir avec eux, elle l'aurait fait ; elle aurait fui, abandonnant tout ! Mais le pouvait-elle ? Le monsieur revint et, s'inclinant :

210 – Qu'y a-t-il pour votre service, madame ?

Elle articula péniblement :

– Je viens pour… pour ceci.

Le directeur baissa les yeux, avec un étonnement naïf, vers l'objet qu'elle lui tendait.

215 Elle essayait, d'une main tremblante, de détacher l'élastique. Elle y parvint après quelques efforts, et ouvrit brusquement le squelette loqueteux[1] du parapluie.

L'homme prononça, d'un ton compatissant[2] :

Vocabulaire

1. *Loqueteux* : en morceaux, en loques.

2. *Compatissant* : sympathique, montrant qu'il partage la « douleur ».

– Il me paraît bien malade.

₂₂₀ Elle déclara avec hésitation :

– Il m'a coûté vingt francs.

Il s'étonna :

– Vraiment ! Tant que ça.

– Oui, il était excellent. Je voulais vous faire constater son ₂₂₅ état.

– Fort bien ; je vois. Fort bien. Mais je ne saisis pas en quoi cela peut me concerner.

Une inquiétude la saisit. Peut-être cette compagnie-là ne payait-elle pas les menus objets, et elle dit :

₂₃₀ – Mais… il est brûlé…

Le monsieur ne nia pas :

– Je le vois bien.

Elle restait bouche béante[1], ne sachant plus que dire ; puis, soudain, comprenant son oubli, elle prononça avec précipi-₂₃₅ tation :

– Je suis Mme Oreille. Nous sommes assurés à *la Maternelle*, et je viens vous réclamer le prix de ce dégât.

Elle se hâta d'ajouter dans la crainte d'un refus positif :

– Je demande seulement que vous le fassiez recouvrir.

₂₄₀ Le directeur, embarrassé, déclara :

– Mais… madame… nous ne sommes pas marchands de parapluies. Nous ne pouvons nous charger de ces genres de réparations.

Vocabulaire
1. *Béante* : grande ouverte.

La petite femme sentait l'aplomb[1] lui revenir. Il fallait lut-
245 ter. Elle lutterait donc ! Elle n'avait plus peur ; elle dit :

– Je demande seulement le prix de la réparation. Je la ferai
bien faire moi-même.

Le monsieur semblait confus.

– Vraiment, madame, c'est bien peu. On ne nous demande
250 jamais d'indemnité pour des accidents d'une si minime
importance. Nous ne pouvons rembourser, convenez-en, les
mouchoirs, les gants, les balais, les savates, tous les petits
objets qui sont exposés chaque jour à subir des avaries par la
flamme.

255 Elle devint rouge, sentant la colère l'envahir :

– Mais, monsieur, nous avons eu, au mois de décembre dernier, un feu de cheminée qui nous a causé au moins pour cinq
cents francs de dégâts ; M. Oreille n'a rien réclamé à la compagnie ; aussi il est bien juste aujourd'hui qu'elle me paye
260 mon parapluie !

Le directeur, devinant le mensonge, dit en souriant :

– Vous avouerez, madame, qu'il est bien étonnant que
M. Oreille, n'ayant rien demandé pour un dégât de cinq cents
francs, vienne réclamer une réparation de cinq ou six francs
265 pour un parapluie.

Elle ne se troubla point et répliqua :

– Pardon, monsieur, le dégât de cinq cents francs concer-
nait la bourse de M. Oreille, tandis que le dégât de dix-huit

---

Vocabulaire
1. *Aplomb* : courage.

francs concerne la bourse de Mme Oreille, ce qui n'est pas la
270 même chose.

Il vit qu'il ne s'en débarrasserait pas et qu'il allait perdre sa journée, et il demanda avec résignation[1] :

– Veuillez me dire alors comment l'accident est arrivé.

Elle sentit la victoire et se mit à raconter :

275 – Voilà, monsieur : j'ai dans mon vestibule une espèce de chose en bronze où l'on pose les parapluies et les cannes. L'autre jour donc, en rentrant, je plaçai dedans celui-là. Il faut vous dire qu'il y a juste au-dessus une planchette pour mettre les bougies et les allumettes. J'allonge le bras et je prends
280 quatre allumettes. J'en frotte une ; elle rate. J'en frotte une autre ; elle s'allume et s'éteint aussitôt. J'en frotte une troisième ; elle en fait autant.

Le directeur l'interrompit pour placer un mot d'esprit :

– C'étaient donc des allumettes du gouvernement ?

285 Elle ne comprit pas et continua :

– Ça se peut bien. Toujours est-il que la quatrième prit feu et j'allumai ma bougie ; puis je rentrai dans ma chambre pour me coucher. Mais au bout d'un quart d'heure, il me sembla qu'on sentait le brûlé. Moi j'ai toujours peur du feu. Oh ! si
290 nous avons jamais un sinistre[2], ce ne sera pas ma faute ! Surtout depuis le feu de cheminée dont je vous ai parlé, je ne vis pas. Je me relève donc, je sors, je cherche, je sens partout comme un chien de chasse, et je m'aperçois enfin que mon

---

Vocabulaire
1. *Résignation* : soumission.   2. *Sinistre* : accident.

parapluie brûle. C'est probablement une allumette qui était
295 tombée dedans. Vous voyez dans quel état ça l'a mis...

Le directeur en avait pris son parti ; il demanda :

– À combien estimez-vous le dégât ?

Elle demeura sans parole, n'osant pas fixer un chiffre. Puis
elle dit, voulant être large :

300 – Faites-le réparer vous-même. Je m'en rapporte à vous.

Il refusa :

– Non, madame, je ne peux pas. Dites-moi combien vous
demandez.

– Mais... il me semble... que... Tenez, monsieur, je ne veux
305 pas gagner sur vous, moi... Nous allons faire une chose. Je
porterai mon parapluie chez un fabricant qui le recouvrira en
bonne soie, en soie durable, et je vous apporterai la facture.
Ça vous va-t-il ?

– Parfaitement, madame ; c'est entendu. Voici un mot pour
310 la caisse, qui remboursera votre dépense.

Et il tendit une carte à Mme Oreille, qui la saisit, puis se
leva et sortit en remerciant, ayant hâte d'être dehors, de
crainte qu'il ne changeât d'avis.

Elle allait maintenant d'un pas gai par la rue, cherchant un
315 marchand de parapluies qui lui parût élégant. Quand elle eut
trouvé une boutique d'allure riche, elle entra et dit, d'une voix
assurée[1] :

Vocabulaire
1. *Assurée* : très sûre d'elle.

– Voici un parapluie à recouvrir en soie, en très bonne soie.
Mettez-y ce que vous avez de meilleur. Je ne regarde pas au
320 prix.

La Parure

C'était une de ces jolies et charmantes filles, nées, comme par une erreur du destin, dans une famille d'employés. Elle n'avait pas de dot[1], pas d'espérances, aucun moyen d'être connue, comprise, aimée, épousée par un homme riche et distingué ; et elle se laissa marier avec un petit commis[2] du ministère de l'Instruction publique.

Elle fut simple, ne pouvant être parée[3], mais malheureuse comme une déclassée[4] ; car les femmes n'ont point de caste[5] ni de race, leur beauté, leur grâce et leur charme leur servant de naissance et de famille. Leur finesse native, leur instinct d'élégance, leur souplesse d'esprit sont leur seule hiérarchie, et font des filles du peuple les égales des plus grandes dames.

Elle souffrait sans cesse, se sentant née pour toutes les délicatesses et tous les luxes. Elle souffrait de la pauvreté de son logement, de la misère des murs, de l'usure des sièges, de la laideur des étoffes. Toutes ces choses, dont une autre femme de sa caste ne se serait même pas aperçue, la torturaient et l'indignaient. La vue de la petite Bretonne qui faisait son humble ménage éveillait en elle des regrets désolés et des rêves éperdus. Elle songeait aux antichambres[6] muettes, capitonnées[7] avec des tentures orientales, éclairées par de hautes

---

Vocabulaire

1. *Dot* : somme que la famille de la mariée doit apporter au marié le jour du mariage.
2. *Commis* : employé à un poste peu élevé.
3. *Parée* : couverte de bijoux.

4. *Déclassée* : exclue de sa classe (sociale) d'origine.
5. *Caste* : ici, classe sociale.
6. *Antichambres* : pièces d'entrée d'un appartement.
7. *Capitonnées* : ici, aux murs recouverts.

torchères[1] de bronze, et aux deux grands valets en culotte courte qui dorment dans les larges fauteuils, assoupis par la chaleur lourde du calorifère[2]. Elle songeait aux grands salons vêtus de soie ancienne, aux meubles fins portant des bibelots inestimables, et aux petits salons coquets, parfumés, faits pour la causerie de cinq heures avec les amis les plus intimes, les hommes connus et recherchés dont toutes les femmes envient et désirent l'attention.

Quand elle s'asseyait, pour dîner, devant la table ronde couverte d'une nappe de trois jours, en face de son mari qui découvrait[3] la soupière en déclarant d'un air enchanté : « Ah ! le bon pot-au-feu ! je ne sais rien de meilleur que cela… », elle songeait aux dîners fins, aux argenteries reluisantes, aux tapisseries peuplant les murailles de personnages anciens et d'oiseaux étranges au milieu d'une forêt de féerie ; elle songeait aux plats exquis servis en des vaisselles merveilleuses, aux galanteries[4] chuchotées et écoutées avec un sourire de sphinx[5], tout en mangeant la chair rose d'une truite ou des ailes de gélinotte[6].

Elle n'avait pas de toilettes, pas de bijoux, rien. Et elle n'aimait que cela ; elle se sentait faite pour cela. Elle eût tant désiré plaire, être enviée, être séduisante et recherchée.

Elle avait une amie riche, une camarade de couvent qu'elle ne voulait plus aller voir tant elle souffrait en revenant. Et elle

---

Vocabulaire

1. *Torchères* : vases dans lesquels on faisait brûler du combustible, afin d'éclairer une pièce.
2. *Calorifère* : chauffage.
3. *Découvrait* : ôtait le couvercle.

4. *Galanteries* : propos très polis, en général d'un homme à une femme.
5. *de sphinx* : ici, mystérieux.
6. *Gélinotte* : petite poule à la chair délicieuse, très recherchée.

45 pleurait pendant des jours entiers, de chagrin, de regret, de désespoir et de détresse.

Or un soir son mari rentra, l'air glorieux et tenant à la main une large enveloppe.

« Tiens, dit-il, voici quelque chose pour toi. » Elle déchira
50 vivement le papier et en tira une carte imprimée qui portait ces mots :

« Le ministre de l'Instruction publique et Mme Georges Ramponneau prient M. et Mme Loisel de leur faire l'honneur de venir passer la soirée à l'hôtel du ministère, le lundi 18
55 janvier ».

Au lieu d'être ravie, comme l'espérait son mari, elle jeta avec dépit[1] l'invitation sur la table, murmurant :

« Que veux-tu que je fasse de cela ?

– Mais, ma chérie, je pensais que tu serais contente. Tu ne
60 sors jamais, et c'est une occasion, cela, une belle ! J'ai eu une peine infinie à l'obtenir. Tout le monde en veut ; c'est très recherché et on n'en donne pas beaucoup aux employés. Tu verras là tout le monde officiel[2]. » Elle le regardait d'un œil irrité, et elle déclara avec impatience :

65 « Que veux-tu que je me mette sur le dos pour aller là ? »
Il n'y avait pas songé ; il balbutia :

« Mais la robe avec laquelle tu vas au théâtre. Elle me semble très bien, à moi... »

Vocabulaire
1. *Dépit* : tristesse et irritation.   **2.** *Monde officiel* : les gens importants.

Il se tut, stupéfait, éperdu[1], en voyant que sa femme
70 pleurait.

Deux grosses larmes descendaient lentement des coins des
yeux vers les coins de la bouche ; il bégaya :

« Qu'as-tu ? qu'as-tu ? »

Mais, par un effort violent, elle avait dompté sa peine et
75 elle répondit d'une voix calme en essuyant ses joues humides :

« Rien. Seulement je n'ai pas de toilette et par conséquent
je ne peux aller à cette fête. Donne ta carte à quelque collègue
dont la femme sera mieux nippée[2] que moi. » Il était désolé.
Il reprit :

80 « Voyons, Mathilde. Combien cela coûterait-il une toilette
convenable, qui pourrait te servir encore en d'autres occa-
sions, quelque chose de très simple ? »

Elle réfléchit quelques secondes, établissant ses comptes et
songeant aussi à la somme qu'elle pouvait demander sans s'at-
85 tirer un refus immédiat et une exclamation effarée[3] du commis économe.

Enfin, elle répondit en hésitant :

« Je ne sais pas au juste, mais il me semble qu'avec quatre
cents francs je pourrais arriver. » Il avait un peu pâli, car il
90 réservait juste cette somme pour acheter un fusil et s'offrir des
parties de chasse, l'été suivant, dans la plaine de Nanterre,
avec quelques amis qui allaient tirer des alouettes, par là, le
dimanche.

Vocabulaire

1. *Éperdu* : ici, très troublé par l'in-
compréhension.

2. *Nippée* : habillée.
3. *Effarée* : ici, de vive surprise.

Il dit cependant :

95 « Soit. Je te donne quatre cents francs. Mais tâche d'avoir une belle robe. »

Le jour de la fête approchait, et Mme Loisel semblait triste, inquiète, anxieuse. Sa toilette était prête cependant. Son mari lui dit un soir :

100 « Qu'as-tu ? voyons, tu es toute drôle depuis trois jours. » Et elle répondit :

« Cela m'ennuie de n'avoir pas un bijou, pas une pierre, rien à mettre sur moi. J'aurai l'air misère comme tout[1]. J'aimerais presque mieux ne pas aller à cette soirée. »

105 Il reprit :

« Tu mettras des fleurs naturelles. C'est très chic en cette saison-ci. Pour dix francs tu auras deux ou trois roses magnifiques. » Elle n'était point convaincue.

« Non... il n'y a rien de plus humiliant que d'avoir l'air
110 pauvre au milieu de femmes riches. »

Mais son mari s'écria :

« Que tu es bête ! va trouver ton amie Mme Forestier et demande-lui de te prêter des bijoux. Tu es bien assez liée avec elle pour faire cela. » Elle poussa un cri de joie.

115 « C'est vrai. Je n'y avais point pensé. » Le lendemain, elle se rendit chez son amie et lui conta sa détresse.

Mme Forestier alla vers son armoire à glace, prit un large coffret, l'apporta, l'ouvrit, et dit à Mme Loisel :

Vocabulaire
1. *Misère comme tout* : très pauvre.

« Choisis, ma chère. »

120 Elle vit d'abord des bracelets, puis un collier de perles, puis une croix vénitienne, or et pierreries, d'un admirable travail.

Elle essayait les parures devant la glace, hésitait, ne pouvait se décider à les quitter à les rendre. Elle demandait toujours :

« Tu n'as plus rien d'autre ?

125 – Mais si. Cherche. Je ne sais pas ce qui peut te plaire. » Tout à coup elle découvrit, dans une boîte de satin noir, une superbe rivière[1] de diamants ; et son cœur se mit à battre d'un désir immodéré[2]. Ses mains tremblaient en la prenant. Elle l'attacha autour de sa gorge, sur sa robe montante, et demeura 130 en extase[3] devant elle-même.

Puis, elle demanda, hésitante, pleine d'angoisse :

« Peux-tu me prêter cela, rien que cela ?

– Mais oui, certainement. » Elle sauta au cou de son amie, l'embrassa avec emportement[4], puis s'enfuit avec son trésor.

135 Le jour de la fête arriva. Mme Loisel eut un succès. Elle était plus jolie que toutes, élégante, gracieuse, souriante et folle de joie. Tous les hommes la regardaient, demandaient son nom, cherchaient à être présentés. Tous les attachés[5] du cabinet voulaient valser avec elle. Le ministre la remarqua.

140 Elle dansait avec ivresse, avec emportement, grisée[6] par le plaisir, ne pensant plus à rien, dans le triomphe de sa beauté, dans la gloire de son succès, dans une sorte de nuage de bon-

---

Vocabulaire
1. *Rivière* : collier.
2. *Immodéré* : excessif, très fort.
3. *En extase* : en admiration.
4. *Avec emportement* : très vivement.
5. *Attachés* : employés.
6. *Grisée* : comme ivre.

heur fait de tous ces hommages, de toutes ces admirations, de tous ces désirs éveillés, de cette victoire si complète et si douce
145 au cœur des femmes.

Elle partit vers quatre heures du matin. Son mari, depuis minuit, dormait dans un petit salon désert avec trois autres messieurs dont les femmes s'amusaient beaucoup.

Il lui jeta sur les épaules les vêtements qu'il avait apportés
150 pour la sortie, modestes vêtements de la vie ordinaire, dont la pauvreté jurait[1] avec l'élégance de la toilette de bal. Elle le sentit et voulut s'enfuir pour ne pas être remarquée par les autres femmes qui s'enveloppaient de riches fourrures.

Loisel la retenait :
155 « Attends donc. Tu vas attraper froid dehors. Je vais appeler un fiacre[2]. »

Mais elle ne l'écoutait point et descendait rapidement l'escalier. Lorsqu'ils furent dans la rue, ils ne trouvèrent pas de voiture ; et ils se mirent à chercher, criant après les cochers
160 qu'ils voyaient passer de loin.

Ils descendaient vers la Seine, désespérés, grelottants. Enfin ils trouvèrent sur le quai un de ces vieux coupés[3] noctambules qu'on ne voit dans Paris que la nuit venue, comme s'ils eussent été honteux de leur misère pendant le jour. Il les ramena
165 jusqu'à leur porte, rue des Martyrs, et ils remontèrent triste-

---

Vocabulaire

1. *Jurait* : choquait (par leur différence).
2. *Fiacre* : équivalent du taxi, voiture
tirée par des chevaux.

3. *Coupés* : voitures pour deux personnes.

ment chez eux. C'était fini, pour elle. Et il songeait, lui, qu'il lui faudrait être au ministère à dix heures.

Elle ôta les vêtements dont elle s'était enveloppé les épaules, devant la glace, afin de se voir encore une fois dans
170 sa gloire.

Mais soudain elle poussa un cri. Elle n'avait plus sa rivière autour du cou !

Son mari, à moitié dévêtu déjà, demanda :

« Qu'est-ce que tu as ? »
175 Elle se tourna vers lui, affolée :

« J'ai... j'ai... je n'ai plus la rivière de Mme Forestier ! » Il se dressa, éperdu :

« Quoi !... comment !... Ce n'est pas possible ! » Et ils cherchèrent dans les plis de la robe, dans les plis du manteau, dans
180 les poches, partout. Ils ne la trouvèrent point.

Il demandait :

« Tu es sûre que tu l'avais encore en quittant le bal ?

– Oui, je l'ai touchée dans le vestibule[1] du ministère.

– Mais, si tu l'avais perdue dans la rue, nous l'aurions
185 entendue tomber Elle doit être dans le fiacre.

– Oui. C'est probable. As-tu pris le numéro ?

– Non. Et toi, tu ne l'as pas regardé ?

– Non. » Ils se contemplaient atterrés[2]. Enfin Loisel se rhabilla.

Vocabulaire
1. *Vestibule* : salle d'entrée.   2. *Atterrés* : accablés.

190 « Je vais, dit-il, refaire tout le trajet que nous avons fait à pied, pour voir si je ne la retrouverai pas. » Et il sortit. Elle demeura en toilette de soirée, sans force pour se coucher abattue sur une chaise, sans feu, sans pensée.

Son mari rentra vers sept heures. Il n'avait rien trouvé.

195 Il se rendit à la préfecture de Police, aux journaux, pour faire promettre une récompense, aux compagnies de petites voitures, partout enfin où un soupçon d'espoir le poussait.

Elle attendit tout le jour dans le même état d'effarement[1] devant cet affreux désastre.

200 Loisel revint le soir avec la figure creusée, pâlie ; il n'avait rien découvert.

« Il faut, dit-il, écrire à ton amie que tu as brisé la fermeture de sa rivière et que tu la fais réparer. Cela nous donnera le temps de nous retourner. »

205 Elle écrivit sous sa dictée.

Au bout d'une semaine, ils avaient perdu toute espérance.

Et Loisel, vieilli de cinq ans, déclara :

« Il faut aviser[2] à remplacer ce bijou. » Ils prirent, le lendemain, la boîte qui l'avait renfermé, et se rendirent chez le
210 joaillier dont le nom se trouvait dedans. Il consulta ses livres.

« Ce n'est pas moi, madame, qui ai vendu cette rivière ; j'ai dû seulement fournir l'écrin. » Alors ils allèrent de bijoutier en bijoutier cherchant une parure pareille à l'autre, consul-

---

Vocabulaire
1. *Effarement* : trouble excessif.   **2.** *Aviser* : envisager.

215 tant leurs souvenirs, malades tous deux de chagrin et d'angoisse.

Ils trouvèrent, dans une boutique du Palais-Royal, un chapelet de diamants qui leur parut entièrement semblable à celui qu'ils cherchaient. Il valait quarante mille francs. On le leur laisserait à trente-six mille.

220 Ils prièrent donc le joaillier de ne pas le vendre avant trois jours. Et ils firent condition qu'on le reprendrait pour trente-quatre mille francs, si le premier était retrouvé avant la fin de février. Loisel possédait dix-huit mille francs que lui avait laissés son père. Il emprunterait le reste.

225 Il emprunta, demandant mille francs à l'un, cinq cents à l'autre, cinq louis par-ci, trois louis par-là. Il fit des billets[1], prit des engagements ruineux, eut affaire aux usuriers[2], à toutes les races de prêteurs. Il compromit[3] toute la fin de son existence, risqua sa signature sans savoir même s'il pourrait y
230 faire honneur, et, épouvanté par les angoisses de l'avenir, par la noire misère qui allait s'abattre sur lui, par la perspective de toutes les privations physiques et de toutes les tortures morales, il alla chercher la rivière nouvelle, en déposant sur le comptoir du marchand trente-six mille francs.

235 Quand Mme Loisel reporta la parure à Mme Forestier celle-ci lui dit, d'un air froissé[4] :

Vocabulaire
1. *Billets* : traites, papiers par lesquels on s'engage à rembourser une dette.
2. *Usuriers* : personnes prêtant de l'argent à des taux très élevés.
3. *Compromit* : ici, mit en péril.
4. *Froissé* : vexé, blessé.

« Tu aurais dû me la rendre plus tôt, car je pouvais en avoir besoin. » Elle n'ouvrit pas l'écrin, ce que redoutait son amie. Si elle s'était aperçue de la substitution, qu'aurait-elle pensé ?
240 qu'aurait-elle dit ? Ne l'aurait-elle pas prise pour une voleuse ?

Mme Loisel connut la vie horrible des nécessiteux[1]. Elle prit son parti, d'ailleurs, tout d'un coup, héroïquement. Il fallait payer cette dette effroyable. Elle payerait. On renvoya la bonne ; on changea de logement ; on loua sous les toits une
245 mansarde[2].

Elle connut les gros travaux du ménage, les odieuses besognes de la cuisine. Elle lava la vaisselle, usant ses ongles roses sur les poteries grasses et le fond des casseroles. Elle savonna le linge sale, les chemises et les torchons, qu'elle fai-
250 sait sécher sur une corde ; elle descendit à la rue, chaque matin, les ordures, et monta l'eau, s'arrêtant à chaque étage pour souffler. Et, vêtue comme une femme du peuple, elle alla chez le fruitier chez l'épicier chez le boucher, le panier au bras, marchandant, injuriée, défendant sou à sou son misérable argent.
255 Il fallait chaque mois payer des billets, en renouveler d'autres, obtenir du temps.

Le mari travaillait, le soir à mettre au net les comptes d'un commerçant, et la nuit, souvent, il faisait de la copie à cinq sous la page.

Vocabulaire
1. *Nécessiteux* : pauvres.
2. *Mansarde* : chambre, pièce souvent en mauvais état.

260   Et cette vie dura dix ans.

Au bout de dix ans, ils avaient tout restitué, tout, avec le taux de l'usure[1], et l'accumulation des intérêts superposés.

Mme Loisel semblait vieille, maintenant. Elle était devenue la femme forte[2], et dure, et rude, des ménages pauvres.
265 Mal peignée, avec les jupes de travers et les mains rouges, elle parlait haut, lavait à grande eau les planchers. Mais parfois, lorsque son mari était au bureau, elle s'asseyait auprès de la fenêtre, et elle songeait à cette soirée d'autrefois, à ce bal, où elle avait été si belle et si fêtée.

270   Que serait-il arrivé si elle n'avait point perdu cette parure ? Qui sait ? qui sait ? Comme la vie est singulière[3], changeante ! Comme il faut peu de chose pour vous perdre ou vous sauver !

Or, un dimanche, comme elle était allée faire un tour aux
275 Champs-Élysées pour se délasser[4] des besognes de la semaine, elle aperçut tout à coup une femme qui promenait un enfant.

C'était Mme Forestier toujours jeune, toujours belle, toujours séduisante.

Mme Loisel se sentit émue. Allait-elle lui parler ? Oui,
280 certes.

Et maintenant qu'elle avait payé, elle lui dirait tout. Pourquoi pas ?

Vocabulaire
1. *Le taux de l'usure* : les intérêts.
2. *Forte* : grosse.
3. *Singulière* : très étonnante (en bien ou en mal).
4. *Délasser* : détendre.

Elle s'approcha.

« Bonjour Jeanne. » L'autre ne la reconnaissait point,
s'étonnant d'être appelée ainsi familièrement[1] par cette bourgeoise. Elle balbutia :

« Mais… madame !… Je ne sais… vous devez vous tromper.

– Non. Je suis Mathilde Loisel. » Son amie poussa un cri :

« Oh !… ma pauvre Mathilde, comme tu es changée !…

– Oui, j'ai eu des jours bien durs, depuis que je ne t'ai vue ;
et bien des misères… et cela à cause de toi !…

– De moi… Comment ça ?

– Tu te rappelles bien cette rivière de diamants que tu m'as
prêtée pour aller à la fête du Ministère.

– Oui. Eh bien ?

– Eh bien, je l'ai perdue.

– Comment ! puisque tu me l'as rapportée.

– Je t'en ai rapporté une autre toute pareille. Et voilà dix
ans que nous la payons. Tu comprends que ça n'a pas été aisé
pour nous, qui n'avions rien… Enfin, c'est fini, et je suis rudement contente. » Mme Forestier s'était arrêtée.

« Tu dis que tu as acheté une rivière de diamants pour remplacer la mienne ?

– Oui. Tu ne t'en étais pas aperçue, hein ? Elles étaient bien
pareilles. » Et elle souriait d'une joie orgueilleuse et naïve.

Mme Forestier fort émue, lui prit les deux mains.

« Oh ! ma pauvre Mathilde ! Mais la mienne était fausse.
Elle valait au plus cinq cents francs !… »

Vocabulaire
1. *Familièrement* : comme si elles se connaissaient.

La Rempailleuse

ÉTUDE DE LA LANGUE

Grammaire

1. L. 66-67 : quelle est la fonction des trois adjectifs qualificatifs « haillonneuse, vermineuse, sordide » ? Quel est l'intérêt de cette construction ?

2. P. 15 : étudiez les temps des verbes de cette page. Quels sont les deux les plus utilisés ? Expliquez leur alternance en fonction du contenu.

Orthographe

3. P. 12, l. 98, et p. 13, l. 135 : expliquez la construction des adverbes « attentivement » et « habilement ». Trouvez, dans les pages suivantes, d'autres adverbes en « *ment* » : suivent-ils la même règle ?

4. L. 74 : expliquez l'orthographe du mot « Remmmpailleur ».

Vocabulaire

5. L. 31 : « C'est une affaire de *tempérament* ». Cherchez l'origine de ce substantif.

LECTURE

Lecture d'ensemble

6. Montrez que le « dégoût » des femmes (p. 11) se retrouve à d'autres moments de la nouvelle chez d'autres personnages. Par quelles expressions ce sentiment est-il alors montré ?

7. La relation entre le garçon et la fillette s'appuie sur un certain malentendu. Lequel ? Expliquez comment il est entretenu.

8. Les Chouquet sont *apparemment* des gens « comme il faut ». Qu'en pense Maupassant, selon vous ? Comment fait-il pour le faire comprendre ?

ÉTUDE DE L'ŒUVRE

Lecture linéaire

9. L. 40-43 : expliquez l'importance de la ponctuation dans ce passage.

10. L. 49-50 : à quoi la phrase « Mais je vais me faire mieux comprendre » sert-elle ?

11. L. 142-143 : pourquoi l'auteur écrit-il qu'elle « souffrit sans fin » ?

12. L. 152 : expliquez la figure de style utilisée. Quel est son intérêt ?

Lecture d'image

13. Le tableau ci-contre représente une femme au métier difficile, comme c'est le cas pour notre héroïne. Comment le peintre réussit-il à montrer la fatigue de la femme ? Quelle impression ressort de ce tableau ?

Honoré Daumier (1808-1879), *La Blanchisseuse*, vers 1863, huile sur bois.

EXPRESSION

Expression écrite

14. Écrivez un dialogue dans lequel vous vous entretenez avec une des dames au visage dégoûté… Vous répondrez à ses remarques par des arguments clairs et précis et vous utiliserez le niveau de langue nécessaire ici.

15. La nouvelle est adressée à Léon Hennique ; imaginez que celui-ci écrive une lettre à Maupassant pour lui faire part de ce qu'il a pensé de sa nouvelle : ce qu'il a aimé, ce qui lui a déplu.

Expression orale

16. Préparez un exposé sur Gustave Flaubert en n'oubliant pas de le relier à Guy de Maupassant.

ÉTUDE DE L'ŒUVRE

NOTIONS LITTÉRAIRES
Le réalisme

Le réalisme est un courant artistique et surtout littéraire qui s'est développé en Europe au cours de la seconde moitié du XIXᵉ siècle. Ce courant est, dans une certaine mesure, un « contraire » au courant romantique. Ce dernier pleure le passé et envisage un avenir idéalisé alors que le réalisme s'ancre dans le présent et souhaite le peindre avec le plus de vraisemblance possible. Il souhaite montrer les choses et les sociétés telles qu'elles sont vraiment sans dissimuler ou améliorer quoi que ce soit dans la peinture qui en est faite. Pour cette raison, les réalistes décrivent les différentes couches de la société sans en dissimuler les souffrances mais également sans chercher à taire leurs défauts.

PATRIMOINE

17. Le nom de Léon Hennique figure au début de la nouvelle. Qui est cet auteur français qui a eu beaucoup de succès au XIXᵉ siècle ? Faites des recherches sur lui et dressez sa biographie. Quels sont ses liens avec Maupassant ?

18. Faites des recherches sur le tableau proposé ci-contre et l'artiste qui l'a peint.

Méthode ❯ *Comment repérer les caractéristiques d'un texte réaliste*

Les textes réalistes montrent, en général, des caractéristiques précises :
➜ Le genre littéraire le plus utilisé est narratif : le roman et la nouvelle.
➜ Le style n'est jamais vraiment lyrique et c'est même le rationnel qui prime.
➜ Le narrateur brille par son objectivité et décrit précisément ce qu'il voit.
➜ L'objet de son attention est souvent les différentes classes sociales.

Aux champs

ÉTUDE DE LA LANGUE

Grammaire

1. L. 9-10 : quel est le lien entre les deux propositions indépendantes ?

2. L. 18 : que reprend le pronom indéfini « cela » ? Quelle impression donne-t-il au lecteur ?

3. L. 142 : quelle est la fonction de « radieuse » ? Pourquoi est-il utilisé ainsi ?

4. L. 198 : pourquoi y a-t-il un sujet inversé ?

Orthographe

5. L. 102 : pourquoi « tout » n'a-t-il pas de *s* ?

6. L. 207-209 : réécrivez ces trois lignes correctement.

Vocabulaire

7. L. 37 : quel est le sens de « grouiller » ? Sur quelle polysémie l'auteur joue-t-il ?

8. L. 149 : quel est le sens réel du verbe *agonir* ? Pourquoi est-il employé ?

9. L. 151-152 : quelle est la particularité du mot « corromperie » ?

LECTURE

Lecture d'ensemble

10. L'incipit insiste sur une caractéristique des deux familles : laquelle ? Relevez les différents éléments qui le prouvent.

11. Après avoir lu la nouvelle, expliquez les lignes 38-39.

12. Comment l'auteur s'y prend-il pour peindre les paysans de façon réaliste ? Utilisez également votre réponse à la question 9.

Lecture linéaire

13. L. 142-143 : quelle est la figure de style utilisée ? Que veut-elle nous faire comprendre ?

ÉTUDE DE L'ŒUVRE

14. L. 170 : expliquez pourquoi la fureur des Tuvache est « inapaisable ».

15. L. 203 : pourquoi l'emploi du terme « sacrifié » peut-il sembler paradoxal ?

Lecture d'image

16. Dans ce tableau, montrez comment la pénibilité du travail est rendue. Voit-on distinctement le visage des femmes ? Pourquoi, selon vous ? Rapprochez votre réponse du mouvement que le peintre a influencé.

Jean-François Millet (1814-1875), *Des glaneuses* dit aussi *Les Glaneuses*, 1857, huile sur toile, Paris, musée d'Orsay (donation sous réserve d'usufruit de Mme Pommery, 1890).

EXPRESSION

Expression écrite

17. L. 140-141 : écrivez le dialogue qui se tient entre les « témoins » et M. d'Hubières qui leur explique la situation.

18. P. 29 : « Et il disparut dans la nuit. » Imaginez que, quelques années plus tard, les Tuvache aient des nouvelles de leur fils, soit par une lettre qu'il leur fait écrire, soit par le récit de quelqu'un de passage l'ayant connu. Racontez ce qu'a été sa vie après ce départ.

HISTOIRE DES ARTS
Les paysans en peinture, au xixe siècle

Les peintres du xixe siècle ont mis de plus en plus les paysans et les populations rurales sur le devant de la scène. Ceci a naturellement accompagné le courant réaliste, les écrivains de ce mouvement étant davantage soucieux de dépeindre le plus vraisemblablement possible les milieux défavorisés des campagnes ainsi que les bourgeois des petites et grandes villes.

C'est un certain changement qui se produit alors, surtout dans le monde de la peinture, car auparavant la campagne existait surtout comme un décor plutôt que comme l'objet central d'un tableau. En outre, les paysans étaient surtout représentés pour montrer des scènes familières, mais les tableaux du xixe siècle ont une réelle fonction sociale.

À cette période, on compte pas moins de 4 courants importants pour ce thème : le néoclassicisme, l'école de Barbizon (à laquelle appartient Millet), l'impressionnisme et le symbolisme.

Expression orale

19. L. 60-110 : réécrivez ce passage comme un texte de théâtre. Vous le jouerez ensuite en respectant, dans votre jeu, la différence de milieux sociaux des personnages.

PATRIMOINE

20. Qui était Jean-François Millet ?

21. Quel est son point commun avec Maupassant ?

22. Un de ses tableaux est célèbre dans le monde entier. Lequel ? Que représente-t-il ?

ÉTUDE DE L'ŒUVRE

ÉTUDE DE L'ŒUVRE

> **Méthode** ▸ *Comment analyser une peinture (1ʳᵉ partie)*
>
> Pour ce travail, il est avant tout nécessaire d'avoir une bonne vue d'ensemble du tableau ; n'hésitez pas à chercher, au CDI ou sur Internet, des reproductions du tableau concerné.
>
> D'un point de vue méthodique, il est bon de faire ce travail en deux temps : d'abord le signalement et l'observation, puis l'analyse des éléments relevés.
>
> **I) Le signalement et l'observation**
>
> → Il faut dresser la « carte d'identité » du tableau et donner : le nom du peintre, le genre du tableau, le titre, le support, le matériau utilisé, le lieu où il est conservé, et enfin le sujet principal (en rapport le plus souvent avec le titre).
>
> → Ensuite, il faut préciser les couleurs utilisées, les teintes qui dominent et celles qui au contraire sont peu ou pas utilisées, la couleur du fond… Ceci s'ajoute à la lumière : est-elle uniforme ? met-elle plutôt une partie du tableau en valeur ? quelle impression aura celui qui regarde ?…
>
> → Enfin, il faut observer comment le tableau est « structuré » ; on peut alors le « découper » en parties pour distinguer ce qui a été mis en valeur : quel est le « sujet » principal du tableau ? quelles sont les caractéristiques du trait (simple, épais, lourd, surchargé, épuré…) ?
>
> Il ne faut surtout pas oublier que tous ces éléments doivent ensuite être utilisés pour l'analyse.
>
> *(Voir la 2ᵈᵉ partie dans la séance 6.)*

Mon oncle Jules

ÉTUDE DE LA LANGUE

Grammaire

1. L. 3 : quel est le rapport logique entre les deux phrases simples ? Transformez-les en une seule phrase en utilisant une conjonction.

2. L. 159 : quelle est la circonstance utilisée pour « tu les rendrais malades » ? Pourquoi la mère parle-t-elle ainsi ?

3. L. 205-207 : quel est le discours utilisé ? Justifiez son emploi en montrant ce qu'il apporte au texte.

4. L. 223 : justifiez l'emploi de l'imparfait pour « devenait » plutôt que celui du passé simple.

Orthographe

5. L. 105 : quels sont le mode et le temps de « eût […] entamé » ? Expliquez son emploi.

Vocabulaire

6. L. 54 : quels sont les différents sens du mot *familier* ? Expliquez son évolution.

7. L. 75-76 : remplacez l'expression « qui ne valait pas […] les quatre fers d'un chien » par un synonyme et expliquez votre choix.

8. L. 122 : cherchez un synonyme de « pavillon ».

LECTURE

Lecture d'ensemble

9. Les personnages de cette nouvelle sont-ils des anti-héros ? Justifiez votre réponse par des exemples précis.

10. Quelle impression la famille de Joseph Davranche donne-t-elle au lecteur ? Relevez quelques exemples précis pour justifier vos propos ?

11. Après avoir lu la nouvelle, formulez avec vos mots la raison pour laquelle Joseph Davranche fait l'aumône aux vagabonds.

ÉTUDE DE L'ŒUVRE

Lecture linéaire

12. P. 31 : relevez tous les éléments qui montrent l'importance de cette sortie.

13. L. 41 : relevez l'antithèse et précisez son rôle.

14. L. 64-65 : expliquez ce que le personnage veut dire dans cette phrase.

15. L. 130-131 : quelle est la figure de style utilisée ? quelle impression donne-t-elle à propos de la sœur cadette ?

Lecture d'image

16. Observez la photo ci-dessous. Analysez-la comme vous le feriez d'un tableau en essayant d'insister sur ce que le photographe a voulu mettre en valeur du romancier comme du paysage.

Victor Hugo sur le rocher des Proscrits, Charles Hugo, 1853, musée d'Orsay, Paris.

EXPRESSION

Expression écrite

17. Écrivez la première des deux lettres dont il est question à la page 33. Respectez la cohérence du narrateur et du contexte historique.

ÉTUDE DE L'ŒUVRE

18. L. 111-113 : « la lettre de l'oncle Jules, montrée un soir, avait terminé les hésitations et emporté la résolution du jeune homme » ; écrivez le monologue intérieur du jeune homme à ce moment-là. Vous insisterez sur ses hésitations et sur l'influence de la lettre qui modifie finalement son avis.

19. Lisez la pièce de Jules Verne (*cf.* question 22) et faites-en une fiche de lecture.

Expression orale

20. Préparez un exposé sur Victor Hugo et l'importance de son exil, d'abord à Jersey puis à Guernesey. N'oubliez pas de mentionner Charles Hugo quand c'est possible.

HISTOIRE DES ARTS
La photographie (1ʳᵉ partie)

Dans cette séance, c'est une photographie qui est donnée à analyser. Le mot *photographie* désigne en fait plusieurs choses : la technique qui permet de créer l'image (et, plus généralement, tous les arts qui utilisent cette technique) et le document lui-même ainsi obtenu.

On peut considérer que le premier inventeur important dans cette histoire est Joseph Nicéphore (surnom qu'il s'est donné) Niepce. Il a, le premier, utilisé des procédés qui avaient déjà été découverts par des chercheurs précédents, pour fixer des images sur des plaques d'étain. La première photographie (1827) représente ainsi une partie de sa demeure de Saint-Loup-de-Varennes et est intitulée *Point de vue de la fenêtre*.

Malheureusement, Niepce meurt subitement en 1833, sans que ses travaux aient été reconnus, et Louis Daguerre (qui travaillait déjà avec Niepce) continue les recherches. Il améliore ainsi beaucoup le procédé, surtout le temps de pose nécessaire qui passe de plusieurs heures à quelques dizaines de minutes seulement : grâce à cela, la première photographie représentant un être humain peut être faite en 1838 ; elle représente un cireur de chaussures sur le boulevard du temple.

(Voir la 2ᵈᵉ partie dans la séance 5.)

ÉTUDE DE L'ŒUVRE

ÉTUDE DE L'ŒUVRE

PATRIMOINE

21. Qui est Achille Bénouville (à qui cette nouvelle est dédiée) ? Par quelles caractéristiques peut-on le rapprocher de Maupassant ? Cherchez le titre de trois de ses ouvrages.

22. Plusieurs auteurs ont fait référence ou ont écrit des histoires où il est question d'un oncle qui reviendrait d'Amérique. Jules Verne a, par exemple, écrit une pièce de théâtre qui en parle. Quelle est cette pièce ?

23. Cherchez d'autres photographies de Charles Hugo. Comparez-les au document que vous trouvez dans cette séance.

Méthode ▶ *Comment définir le héros et l'anti-héros*

Le mot *héros* a trois sens différents :

→ un personnage mi-homme, mi-dieu (Hercule, par exemple) ;

→ un homme aux qualités extraordinaires (Spartacus, Michel Strogoff…) ;

→ le personnage principal d'une œuvre de fiction (Joseph dans *L'Enfant de Noé*…).

Les trois sens ne sont pas incompatibles.

Le mot *anti-héros* (ou *antihéros*) n'a pas la même polysémie. Il concerne, en général, le personnage principal d'une œuvre, mais celui-ci ne présente pas les qualités (au moins de cœur, d'âme, d'honnêteté… habituellement attendues chez un héros. Attention ! il ne faut pas le confondre avec l'*antagoniste*, qui est un ennemi mais qui n'est pas obligatoirement antipathique.

On peut relever néanmoins plusieurs types d'anti-héros : le personnage seulement médiocre ; le personnage donnant le sentiment de n'avoir aucune qualité louable (c'est-à-dire les qualités reconnues comme le ciment social), le personnage qui pourrait faire des actions héroïques mais qui n'agit pas et en ce sens est l'objet d'une déception ; enfin, le personnage médiocre qui se trouve plongé dans des aventures extraordinaires sans l'avoir voulu du tout et qui subit l'action sans la contrôler en général.

Le Parapluie

ÉTUDE DE LA LANGUE

Grammaire

1. L. 9 : quelle est la classe grammaticale de « quelque » ? Remplacez-le par un synonyme.

2. L. 292 : que remarquez-vous dans la construction de cette phrase ? Quel est l'objectif de l'écrivain ?

3. L. 296 : quel rapport logique existe entre ces deux propositions ? Reliez-les grâce à une conjonction.

Orthographe

4. L. 102 : comment le mot « malveillance » est-il construit ? Quel est son antonyme ?

Vocabulaire

5. L. 27 : trouvez un verbe et un adjectif de la même famille que « las ». Donnez des synonymes.

6. L. 71 : cherchez un synonyme à l'expression *faire des farces*.

7. L. 194 : quelle est l'origine du mot « sinistre » ?

LECTURE

Lecture d'ensemble

8. Pp. 44-46 : quels sont les indices qui nous portent à croire que M. Oreille n'est pour rien dans l'incident ?

9. Qu'est-ce qui caractérise le plus le couple formé par M. et Mme Oreille ? Appuyez-vous sur des exemples précis.

10. Selon vous, que pense le directeur de *La Maternelle* de la demande de Mme Oreille ? Pourquoi accepte-t-il de rembourser les réparations ?

Lecture linéaire

11. L. 8 : « C'était comme une déchirure pour son cœur » : quelle est cette figure de style ? Quel est son effet sur le lecteur ?

ÉTUDE DE L'ŒUVRE

12. L. 38-39 : pourquoi le mari demande-t-il une facture ? Que pensez-vous du prix payé par Mme Oreille (l. 40) ?

13. L. 95-96 : expliquez pourquoi l'auteur répète ainsi « puis ». Quel est l'effet produit ?

Lecture d'image

14. Ce tableau est intitulé *La Femme au parapluie* et date de 1874. Son auteur est Jean-Jacques Henner. Faites l'analyse de ce tableau en insistant sur la place qu'occupe l'objet.

EXPRESSION

Expression écrite

15. Écrivez la chanson dont il est question ligne 35, pour se moquer de M. Oreille et de son parapluie. Vous écrirez le texte en vers en insérant un refrain.

16. Imaginez le dialogue qui aura lieu le soir lorsque Mme Oreille racontera à M. Oreille ce qui s'est passé. Vous tiendrez compte des conseils donnés dans la partie « Méthode ».

NOTIONS LITTÉRAIRES
Le discours direct

Le discours direct est, en général, utilisé pour rendre le texte vivant. Il permet de reprendre précisément les propos d'un personnage – ce qui les rend plus authentiques : il n'y a pas de risque de déformation de ce qui a été dit. En outre, il permet d'insister sur l'intonation – ce qui donne plus facilement au lecteur le sentiment qu'il « entend » le dialogue.

Il interrompt la narration, mais il est souvent plus léger et agréable à lire que le discours indirect qui, à cause de l'utilisation de la subordination, alourdit souvent la phrase.

Les pronoms les plus utilisés sont la 1re et la 2e personne, et le temps le plus employé est le présent.

Expression orale

17. Présentez les personnages de M. Oreille et/ou de Mme Oreille à la classe. Vous ferez un portrait clair et complet, en utilisant des exemples précis du texte.

18. Apprenez et récitez le texte de la chanson de Georges Brassens. (voir question 19)

PATRIMOINE

19. Une chanson célèbre de Georges Brassens porte le même titre que cette nouvelle. Cherchez le texte de cette chanson. Faites des recherches sur ce poète français et dites à quel moment de sa carrière il a écrit cette chanson. Avait-il un lien avec certains poètes du XIXe siècle ? Lesquels ?

20. Faites une recherche sur Jean-Jacques Henner dont il est question ci-dessus. À quelle partie du siècle appartient-il ? Par quels peintres a-t-il été influencé ? Appartenait-il à un courant précis ?

21. Observez la couverture. Comment le peintre s'y prend-il pour rendre son tableau vivant ? Montrez qu'il insiste tout particulièrement sur les détails.

Méthode > *Comment rendre un dialogue vivant*

C'est en utilisant la ponctuation que l'on peut rendre le dialogue plus vivant : les points d'exclamation et d'interrogation s'avèrent dès lors très utiles pour rendre les sentiments et les émotions exprimés par les personnages.

Le vocabulaire peut également rendre le discours plus vivant, parce que plus vraisemblable. Le vocabulaire peut être familier mais il ne doit pas être vulgaire ou grossier. Il ne faut pas non plus utiliser une syntaxe incorrecte sans raison.

Attention ! il ne faut pas croire que, pour rendre un dialogue vivant, il faille utiliser toutes les interjections habituelles du discours. Les petits mots tels que *bon, ben, ah*… ne servent souvent qu'à créer des maladresses qui rendent le discours peu crédible.

ÉTUDE DE L'ŒUVRE

La Parure

ÉTUDE DE LA LANGUE

Grammaire

1. L. 40 : remplacez « Et » par un mot ayant le même sens que la conjonction dans cette phrase.

2. L. 69 : quel est le mode de « en voyant » ? Quelle est sa valeur ?

3. L. 239-240 : à quel discours ces deux lignes appartiennent-elles ? Pourquoi l'auteur l'a-t-il employé ici ?

Orthographe

4. L. 89 : en vous appuyant sur la terminaison, donnez le temps et le mode du verbe « pourrais ». Pourquoi Mme Loisel utilise-t-elle ce temps et non le futur simple de l'indicatif ?

Vocabulaire

5. L. 24 : cherchez un mot de la même famille que « calorifère » (autre que celui donné en note). Trouvez l'étymologie du mot.

> **Méthode** ▸ **Comment analyser une peinture (2ᵈᵉ partie)**

(Voir la 1ʳᵉ partie dans la séance 2.)

II) Tous les éléments de la 1ʳᵉ partie nous amènent ensuite à l'analyse du tableau

→ L'analyse commence avec une étude de la perspective proposée : quelle est la taille des personnages par rapport à l'ensemble (est-elle réaliste, symbolique…) ? y a-t-il un point central au tableau ? peut-on dégager une certaine profondeur ? comment les différents plans se repèrent-ils ?…

→ Ensuite, on peut prendre ses distances par rapport aux détails et s'intéresser au « contexte » du tableau : à quel courant appartient le peintre ? trouve-t-on les caractéristiques de ce courant dans le tableau et lesquelles ? quels sont les autres peintres importants de ce courant et, si cela s'avère important, en quoi le peintre se différencie-t-il ou se rapproche-t-il d'eux ?… Il faut également préciser quelques informations concernant le contexte historique et social.

→ Enfin, il est bon de donner un commentaire plus personnel expliquant l'intérêt que l'on a éprouvé pour le tableau en question, en se justifiant.

6. L. 188 : donnez le sens exact de *contempler*. Utilisez l'étymologie.

LECTURE

Lecture d'ensemble

7. À quel moment découvre-t-on le prénom de Mathilde ? Pourquoi est-ce aussi tardif ? Qu'a voulu montrer ainsi Maupassant ?

8. Qu'avez-vous pensé du comportement du mari de Mathilde dans l'ensemble de la nouvelle ?

Lecture linéaire

9. L. 1-2 : expliquez ce que veut dire « comme par une erreur du destin ». Dans quelle direction l'incipit emmène-t-il le lecteur ?

10. P. 65 : par quels procédés l'auteur rend-il le tragique de la situation ?

11. L. 166-167 : dites quel effet produit la juxtaposition de ces deux phrases.

Lecture d'image

12. Montrez l'importance que prennent dans cette peinture la parure et les différents ornements (bijoux, éventail…).

Que pouvez-vous observer des teintes dominantes ?

EXPRESSION

Expression écrite

13. Faites une fiche de lecture du roman mentionné question 17.

14. Écrivez la suite *immédiate* de cette nouvelle, en une vingtaine de lignes.

Marie-Amélie de Bourbon (1782-1866), reine des Français, huile sur toile, musée Condé, Chantilly, Louis Hersent (1777-1860).

ÉTUDE DE L'ŒUVRE

Expression orale

15. Présentez votre analyse du tableau de Marie-Amélie de Bourbon.

16. Faites un exposé sur la période historique de 1830 à 1848. Quels importants courants littéraires naissent et se développent pendant cette période ?

PATRIMOINE

17. L'incipit nous présente une femme qui ressemble beaucoup à une héroïne de Flaubert. Quelle est cette héroïne qui donne son nom à l'un de ses plus célèbres romans ? Ce roman a suscité un scandale important. Trouvez-en la cause.

HISTOIRE DES ARTS
La photographie (2ᵈᵉ partie)

(Voir la 1ʳᵉ partie dans la séance 3.)

En 1839, François Arago (savant et député) présente son invention à l'Académie des sciences. C'est donc cette date qui est retenue officiellement pour parler de l'invention de la photographie, qui porte alors le nom de « daguerréotype ». L'État français acquiert l'invention et en fera ensuite don au monde.

Les améliorations vont dans deux voies différentes :
– la réduction du temps de pose qui permet d'avoir des images plus précises, l'amélioration du tirage et, en 1840, l'invention du négatif par William Talbot qui permet la diffusion multiple des images ;
– la simplification des appareils et de leur utilisation (en particulier de nos jours avec la photographie numérique).

Vers la fin du XIXᵉ siècle, de voir des écrivains s'intéressent de très près à cet art, en particulier Émile Zola dont nous possédons toujours quelques centaines de plaques sur les milliers qu'il a prises.

ÉTUDE DE L'ŒUVRE

Les 5 nouvelles et l'argent

ÉTUDE DE LA LANGUE

Grammaire

1. *Aux champs*, l. 145, on lit : « regrettant peut-être leur refus » ; quelle est l'importance du participe présent ici ?

2. *Le Parapluie*, p. 46 : quel est le temps le plus utilisé dans le dialogue ? Pourquoi ? Pourquoi Mme Oreille se montre-t-elle sensible aux arguments donnés ainsi par leur ami ?

Orthographe

3. *La Rempailleuse*, l. 210 : « Je tirai l'argent » ; en vous appuyant sur la terminaison du verbe, dites quels sont son temps et son mode. Par cet emploi, sur quoi le narrateur veut-il insister ?

Vocabulaire

4. *La Parure*, pp. 56-57 : relevez le vocabulaire mélioratif qui montre que Mathilde enjolive tout ce à quoi elle rêve. Mettez ensuite ces remarques en rapport avec la vie et le devenir de Mathilde à partir de la page 66.

5. *Mon Oncle Jules*, l. 265 et 290 : on trouve le mot « misérable ». Cherchez son étymologie et expliquez le premier sens de ce mot, puis son évolution. Ce mot a été rendu célèbre par Victor Hugo : pourquoi ?

LECTURE

Lecture d'ensemble

6. Ces 5 nouvelles ont pour thème commun l'importance de l'argent. Faites un tableau récapitulant les éléments suivants pour chaque nouvelle.

Titre	Les pauvres	Les bourgeois	Le registre	Fin positive/ négative

ÉTUDE DE L'ŒUVRE

Vous préciserez si chaque élément se trouve dans l'ensemble des nouvelles ; ensuite, vous ferez un bilan et montrerez quelles sont les récurrences.

7. En vous appuyant sur le tableau donné ci-dessus et sur votre lecture des nouvelles, que pouvez-vous dire de la position de Guy de Maupassant par rapport à l'argent ?

8. Dans l'une de ces 5 nouvelles, choisissez un des personnages qui soit, selon vous, un « anti-héros ». En vous appuyant sur la séance 4 (« Notions littéraires »), précisez les caractéristiques qui en font un « anti-héros ».

Lecture linéaire

9. Pp. 15 / l. 165-166, p. 27 / l. 167-168, p. 35 / l. 125-126, p. 66, l. 240-241 : on trouve des ellipses narratives ; quel intérêt a ce procédé stylistique dans ces passages ? Sur quoi met-il l'accent, en particulier dans les 2 premières nouvelles et la dernière ?

10. En quoi la fin de cette nouvelle n'est-elle pas une véritable fin en soi ?

LECTURE D'IMAGE

11. Observez le portrait ci-dessous et celui de la page 4. Que pouvez-vous dire de la pose des écrivains dans les deux cas ?

Gustave Flaubert, photographie par Nadar, BM de Rouen, photo Th. Ascencio-Parvi.

ÉTUDE DE L'ŒUVRE

NOTIONS LITTÉRAIRES
La nouvelle

La nouvelle est un texte narratif qui, dans sa forme et son écriture, se rapproche du roman ; elle raconte, en effet, une histoire fictive. C'est essentiellement par sa longueur qu'elle se distingue du roman : elle est beaucoup plus courte ; sa longueur peut aller de quelques lignes à plusieurs dizaines de pages. Lorsque le texte comporte entre 18 000 et 40 000 mots, les Anglo-Saxons parlent de « *novella* ».

Parce qu'elle est courte, la nouvelle ne peut pas proposer autant d'éléments que le roman : le nombre des personnages est donc restreint et il n'y a, en général, qu'une seule intrigue importante. Comme c'est déjà le cas dans le conte, l'auteur ne va mentionner que ce qui aura une importance pour la compréhension ou pour l'intérêt de l'intrigue. Tout ce qui n'est pas nécessaire sera passé sous silence ou seulement sous-entendu. Le lecteur est dès lors d'autant plus sollicité car il doit le plus souvent comprendre les intentions de l'écrivain sans que celui-ci les mentionne clairement.

La nouvelle, parce qu'elle tient le lecteur en haleine bien souvent, est le genre par excellence « à chute » : la fin est surprenante et n'est pas du tout ce à quoi le lecteur s'attendait. L'écrivain peut même laisser son lecteur dans l'attente, en ne finissant pas réellement son histoire.

XPRESSION

Expression écrite

12. Faites la description écrite d'une des deux photos de la question 11. Veillez à rendre visibles les expressions du visage ainsi que les quelques éléments vestimentaires.

13. Écrivez le résumé d'une de ces nouvelles. Soyez concis(e) mais surtout complet(ète).

Expression orale

14. Après avoir répondu à la question 17, proposez l'analyse d'un de ses tableaux de « campagne », comme *Labourage nivernais*, par exemple.

15. Victor Hugo, dont il est question dans la séance consacrée à *Mon Oncle Jules*, a écrit plusieurs ouvrages lors de son exil à

Jersey : entre autres, *Les Contemplations*. Cherchez le poème intitulé « Parole sur la dune » ; il a une place particulière dans le recueil : pourquoi ? Présentez-le à la classe, ainsi que le contexte dans lequel il a été écrit.

PATRIMOINE

16. Les deux photos des romanciers données page 88 ont été prises par Nadar. Cet homme a été très célèbre dans la seconde moitié du XIXe siècle, surtout dans le milieu de la photographie. Renseignez-vous sur ses documents les plus connus. Quelles étaient ses relations avec les écrivains ?

17. Une femme peintre a été très célèbre dans la seconde moitié du XIXe siècle et est proche du mouvement réaliste. De quelle femme s'agit-il ? Elle avait dû demander une autorisation spéciale pour porter certains vêtements… Retrouvez cette anecdote.

Méthode ▸ *Comment analyser l'incipit d'une nouvelle*

→ Le mot *incipit* est invariable (on prononce le **t** final). Il désigne le début d'un ouvrage, les premières lignes. Il peut être très court ou bien représenter plusieurs paragraphes ; c'est souvent selon la longueur totale du texte lui-même.

→ C'est par l'intermédiaire de ces quelques lignes que l'écrivain accroche son lecteur et le plonge dans son histoire. Pour ce faire, il doit, dès le début, donner les éléments essentiels à la compréhension du lecteur pour lui permettre de comprendre de quoi il retourne, sans pour autant donner l'impression qu'il fait un « état des lieux » brutal.

→ Pour s'assurer que l'on a bien compris de quoi il sera question dans le roman, on peut, après la lecture de l'incipit, s'assurer que l'on a repéré : le contexte de l'intrigue, le ou les personnages importants, le cœur de l'histoire racontée, le genre du texte, son ton et même sa complexité.

ÉTUDE DE L'ŒUVRE

TEXTES ET IMAGES DANS LE CONTEXTE

1. Roman

ÉMILE ZOLA (1840-1902), *L'Assommoir* (1877)

Voici l'incipit de L'Assommoir *de Zola, publié en 1877. Ce 7e roman de la série des* Rougon-Macquart, *est consacré aux ouvriers et à la misère de leur milieu. Le personnage central, Gervaise, connaîtra une certaine ascension sociale avant de subir la déchéance et la pauvreté.*

Gervaise avait attendu Lantier jusqu'à deux heures du matin. Puis, toute frissonnante d'être restée en camisole à l'air vif de la fenêtre, elle s'était assoupie, jetée en travers du lit, fiévreuse, les joues trempées de larmes. Depuis huit jours, au sortir du *Veau à deux têtes*, où ils mangeaient, il l'envoyait se coucher avec les enfants et ne reparaissait que tard dans la nuit, en racontant qu'il cherchait du travail. Ce soir-là, pendant qu'elle guettait son retour, elle croyait l'avoir vu entrer au bal du Grand-Balcon, dont les dix fenêtres flambantes éclairaient d'une nappe d'incendie la coulée noire des boulevards extérieurs ; et, derrière lui, elle avait aperçu la petite Adèle, une brunisseuse qui dînait à leur restaurant, marchant à cinq ou six pas, les mains ballantes comme si elle venait de lui quitter le bras pour ne pas passer ensemble sous la clarté crue des globes de la porte.

Quand Gervaise s'éveilla, vers cinq heures, raidie, les reins brisés, elle éclata en sanglots. Lantier n'était pas rentré. Pour la première fois, il découchait. Elle resta assise au bord du lit, sous le lambeau de perse déteinte qui tombait de la flèche attachée au plafond par une ficelle. Et, lentement, de ses yeux voilés de larmes, elle faisait le tour de la misérable chambre garnie, meublée d'une commode de noyer dont un tiroir manquait, de trois chaises de paille et d'une petite table graisseuse, sur laquelle traînait un pot à eau ébréché. [...] C'était la belle chambre de l'hôtel, la chambre du premier, qui donnait sur le boulevard. [...] L'hôtel se trouvait sur le boulevard de la Chapelle, à gauche de la barrière Poissonnière. C'était une masure de deux étages, peinte en rouge lie-de-vin jusqu'au second, avec des persiennes pourries par la pluie. Au-dessus d'une lanterne aux vitres étoilées, on parvenait à lire entre les deux fenêtres : *Hôtel Boncœur, tenu par Marsoullier*, en grandes lettres jaunes, dont la moisissure du plâtre avait emporté des morceaux. Gervaise, que la lanterne gênait, se haussait, son mouchoir sur les lèvres. Elle regardait à droite, du côté du boulevard de Rochechouart, où des groupes de bouchers, devant les abattoirs, stationnaient en tabliers sanglants ; et le vent frais apportait une puanteur par moments, une odeur fauve de bêtes massacrées. Elle regardait à gauche, enfilant un long ruban d'avenue, s'arrêtant presque en face d'elle, à la masse blanche de l'hôpital de Lariboisière, alors en construction. Lentement d'un bout à l'autre de l'horizon elle suivait le mur de l'octroi derrière lequel, la nuit, elle entendait parfois des cris d'assassinés ; et elle fouillait les angles écartés, les coins sombres, noirs d'humidité et d'ordure, avec la peur d'y découvrir le corps de Lantier, le ventre troué de coups de couteau. Quand elle levait les yeux, au-delà de cette muraille grise et interminable qui entourait la ville d'une bande de désert, elle apercevait une grande lueur, une poussière de soleil, pleine déjà du grondement matinal de Paris. [...] Lorsque Gervaise, parmi tout ce monde, croyait reconnaître Lantier, elle se penchait davantage, au risque de tomber ; puis elle appuyait plus fortement son mouchoir sur la bouche, comme pour renfoncer sa douleur.

QUESTIONS

1. Relevez les éléments importants de cet incipit. Quels repères nous donnent-ils ?

2. Quelle image est donnée de Gervaise ? Quel portrait se dessine d'elle ?

3. Relevez le champ lexical de la pauvreté et de la saleté.

2. Essai

JULES CHAMPFLEURY (1821-1889), *Le Réalisme* (1857)

Le Réalisme est un essai qui permet à l'auteur d'évoquer ce courant et ses auteurs. Ces quelques lignes représentent le début de ce qui sert de préface à cet essai. L'auteur présente son idée du réalisme, ce courant littéraire qu'il met en rapport avec les autres.

« Quelques notes pour servir de préface »

Je possède assez la connaissance des hommes pour ne pas ignorer que je ferais mieux de me taire et de laisser en blanc le présent volume. [...]
On a très peu d'exemples d'une critique littéraire sérieuse, instructive, s'attaquant à un livre, en montrant les fautes et les qualités, expliquant les raisons du succès ou de l'insuccès. Il y a quelques années, une femme distinguée me posa la question suivante : *Chercher les causes et les moyens qui donnent les apparences de la réalité aux œuvres d'art.*
À cette époque, le *réalisme* n'avait pas encore pointé à l'horizon de la critique. Je répondis que je produisais *instinctivement* et qu'il m'était impossible de résoudre la question, sinon par des œuvres.
Ce ne fut que plus tard, favorisé par le mouvement de 1848, que le *réalisme* vint se joindre aux nombreuses religions en « isme » qu'on pouvait voir apparaître tous les jours, affichées sur les murs, acclamées dans les clubs, adorées dans de petits temples et servies par quelques fidèles.
Tous ces mots à terminaison en « isme », je les tiens en pitié comme des mots de transition ; ils ne me semblent pas faire partie de la langue française, leur assonance me déplaît, ils riment tous ensemble et n'en ont pas plus de raison.

On a été jusqu'à se servir du *naturisme* ; des pédants philosophiques disent le *possibilisme*, les économistes emploient l'*absentéisme*, et il n'y a pas huit jours qu'un délicat a trouvé le mot *inouïsme*.

En présence de cette singulière langue, je ne sais pourquoi on ne ferait pas entrer à l'Académie, comme devant travailler spécialement au Dictionnaire, M. le professeur Piorry qui appelle la grossesse une « hypérendométrotrophie ». Une femme n'est plus enceinte : elle est *hypérendométrotrophe*.

Ce qui fait la force du mot classique, c'est que, malgré les efforts de quelques-uns[1], la désignation de *classicisme* n'a pu être adoptée. En revanche, nous avons eu le *romantisme*, école passagère s'il en fut jamais[2].

Aussi, je le déclare sincèrement : plus le mot *réalisme* gagnera en popularité, moins il aura de chance de durée. Si je l'inscris aujourd'hui en tête d'un volume, c'est qu'étant adopté par les philosophes, les critiques, les magistrats, les prédicateurs, je m'exposerais à ne pas être compris en parlant de *réalité*.

« Sois plutôt à la queue du lion qu'à la tête du renard », dit un proverbe juif.

Il me serait facile d'ergoter et d'avoir un pied dans les deux en criant *réalisme* à droite et *réalité* à gauche.

Je n'aime pas les écoles, je n'aime pas les drapeaux, je n'aime pas les systèmes, je n'aime pas les dogmes ; il m'est impossible de me parquer dans la petite église du *réalisme*, dussé-je en être le dieu. [...]

Vocabulaire
1. Stendhal entre autres (note de l'auteur).
2. « J'appelle *classique* le saint et *romantique* le malade », a dit Goethe (note de l'auteur).

QUESTIONS

1. Quel est l'objectif de cette préface, selon vous ?

2. Quelles notions l'auteur confronte-t-il ? Que pense-t-il de la popularité du réalisme ?

3. À la fin de ce passage, l'auteur nous dit ce que n'est surtout pas, pour lui, le réalisme. Reprenez cette idée avec vos propres mots.

3. Peinture

HENRI FANTIN-LATOUR (1836-1904), *Un atelier aux Batignolles* (1870), musée d'Orsay, Paris

QUESTIONS

1. Ce tableau représente des personnes célèbres : lesquelles ?

2. Quelle disposition des personnages est intéressante ? Que met-elle en valeur ?

3. Comment le peintre a-t-il essayé de rendre son tableau « vivant » ?

LEXIQUE

A

Auteur : créateur de l'œuvre. À distinguer, dans un récit, du narrateur.

Autobiographie : récit énoncé en « Je », où l'auteur raconte, rétrospectivement ou non, sa propre vie.

C

Caractérisation : définition des propriétés de l'« objet » d'une description (choses, animaux, paysages) ou le « sujet » d'un portrait (individus).

Champ lexical : ensemble de mots qui développe un même thème.

Chute : fin particulièrement frappante d'une nouvelle.

Connotation : valeurs ajoutées à un terme, à une image variant selon l'origine, la culture du lecteur.

Conte : court récit qui raconte des événements imaginaires.

D

Dénotation : relevé des significations d'un mot présentes dans un dictionnaire, des éléments qui composent une image.

Dialogue : conversation, dans un récit, entre deux ou plusieurs personnages.

Discours rapporté : paroles ou pensées des personnages rapportées par le narrateur.

E

Ellipse : rupture, saut dans le temps de l'histoire.

Énonciation (marques d') : dans l'énoncé, marques (pronoms personnels, déterminants possessifs, temps verbaux...) de l'énonciateur qui s'adresse à un destinateur.

Excipit : dernières phrases d'un récit.

F

Fantastique (récit) : catégorie de récit qui raconte une histoire apparemment réaliste, mais où interviennent des éléments surnaturels. Suscite chez le lecteur un sentiment de doute sur la véracité ou l'invraisemblance de l'histoire.

Fiction : histoire imaginaire. S'oppose à une histoire « vraie », « réelle ».

Focalisation externe : point de vue du narrateur qui rapporte objectivement ce qu'il « voit » au fur et à mesure que se déroulent les événements de l'histoire.

Focalisation interne : point de vue du narrateur ou d'un personnage qui raconte, à la première personne, et subjectivement, l'histoire à laquelle il assiste ou participe.

Focalisation omnisciente : point de vue du narrateur qui « sait tout et voit tout ». Il connaît le début et la fin de l'histoire au moment où il raconte, il connaît les pensées intimes des personnages etc.

Héros : sujet ou personnage principal qui, par ses actions, est le « moteur » de l'intrigue.

Incipit : premières phrases ou ouverture du récit qui permet au lecteur de construire des horizons d'attente et des hypothèses de lecture sur la suite de l'histoire.

Intrigue : enchaînement des faits et des actions qui forment la trame d'un récit.

Métaphore : image poétique fondée sur des ressemblances entre un comparé et un comparant.

Merveilleux (conte) : catégorie de récit qui raconte une histoire avec des personnages stéréotypés, à une époque et dans des lieux irréels et conventionnels. L'intrigue est souvent construite sur une quête et la fin en est heureuse.

Monologue intérieur : discours rapporté d'un personnage qui, dans un récit, se parle à lui-même.

Narrateur : créature de l'auteur, « voix » qui raconte l'histoire. Il peut être un témoin ou un personnage qui s'exprime en « je ». Il peut-être aussi une voix « effacée ». L'histoire est alors racontée à la troisième personne.

Nouvelle : court récit de fiction.

Réalisme : registre narratif d'une histoire qui crée une « illusion » de réel, qui paraît vraisemblable mais qui n'est pas vraie.

Schéma narratif : structure de l'histoire. Souvent décomposé en cinq parties : état initial, complication, actions et péripéties, résolution, état final.

Schéma actantiel : représentations des rapports « de force » entre les personnages qui peuvent assurer le rôle de sujet (ou héros), d'allié, d'opposant...

Vraisemblable : possible, crédible. À différencier du « vrai ».

Classiques & Patrimoine

Conception graphique : Muriel Ouziane et Yannick Le Bourg

Édition : Béatrix Lot

Illustrations des frises : Benjamin Strickler

Réalisation : Nord Compo, Villeneuve-d'Ascq

Crédits iconographiques : couverture et rabats : © Lylho/Leemage – Cadre (couverture) : © Shutterstock – p. 5 : © Leemage – p. 69 : © Leemage – p. 72 : © Leemage – p. 76 : © RMN – p. 80 : © RMN – p. 83 : © RMN – p. 86 : © Leemage – p. 93 : © Leemage.

© Éditions Magnard, 2011.
www.classiquesetpatrimoine.magnard.fr

Achevé d'imprimer en octobre 2012 par «La Tipografica Varese S.p.A.»
Nº éditeur : 2012-0175
Dépôt légal : juin 2011

Certifié PEFC

Ce produit est issu de forêts gérées durablement et de sources contrôlées

PEFC/18-31-264   www.pefc-france.org